1 MONTH OF
FREE
READING

at

www.ForgottenBooks.com

By purchasing this book you are eligible for one month membership to ForgottenBooks.com, giving you unlimited access to our entire collection of over 1,000,000 titles via our web site and mobile apps.

To claim your free month visit:

www.forgottenbooks.com/free336887

ISBN 978-0-265-29382-9
PIBN 10336887

Wilhelm Tischbein

Ein Künstlerleben
des 18. Jahrhunderts

Von

Franz Landsberger

Leipzig 1908 ⋄ Verlag von
Klinkhardt & Biermann

Den Druck dieses Werkes
besorgte die Offizin von
Julius Klinkhardt, Leipzig

Inhalt.

I. Einleitung. ▫ ▫ ▫ ▫ ▫ ▫ ▫ ▫ ▫

Tischbeins Ruhm und Nachruhm.

Wilhelm Tischbein wurde bei Lebzeiten niemals verkannt oder gering geachtet. Schon von dem Dreißigjährigen kündete der deutsche Merkur: „Er ist ein junger Künstler von ausnehmenden Fähigkeiten und Talenten, und unser Zeitalter verspricht sich in ihm einen der ersten, ernsthaftesten und tieffühlendsten Erfinder"[1]), und diese vornehmste deutsche Zeitschrift blieb ihrem Lobe auch weiterhin treu und verfolgte fast das gesamte Schaffen ihres Günstlings mit aufmunterndem Zuruf.

Als dann Tischbein seit 1783 einen sechzehnjährigen Aufenthalt in Italien nahm, empfing er, wie alle dortigen Künstler, den Besuch der unzähligen Italienfahrer und hatte dafür die Genugtuung, sich in ihren Reisebeschreibungen erwähnt zu finden. Diese Beschreibungen eines F. J. L. Meyer, Fr. Stollberg, I. I. Gerning, Matthisson und an ihrer Spitze Goethes, — sie werden an Ort und Stelle genauer zitiert — vermitteln insgesamt ein anschauliches Bild von Tischbeins römischen und neapolitanischen Tagen. Das klassizistische Element seiner Kunst war diesen Freunden der Antike natürlich vor allem willkommen und

---

[1]) Osterheft 1781, S. 48.

Landsberger, Tischbein.

einer Besprechung wert. In diesem Sinne erwähnt ihn mit ehrendem Beiwort auch Heinrich Meyer, der die Erfahrungen seines römischen Aufenthalts zu einer Kunstgeschichte des 18. Jahrhunderts verarbeitete.[1])

Hatte der italienische Tischbein bei den antikisierenden Tendenzen seiner Zeit Anklang gefunden, so konnten sich mit dem Hamburger und Eutiner Tischbein die neu aufkommenden romantischen Neigungen befreunden. Ein fast phantastischer Zug war manchen späteren Bildern Tischbeins eigen, die, wie Böttiger 1806 hervorhob, der Jetztzeit um so willkommener sein sollten, „je mehr sie der Tendenz unserer Zeitgenossen, die in allen Erzeugnissen der in Tönen und Umrissen malenden Kunst so sehr nach mystischer Hülle oder Allegorie strebt, sich schmeichelnd anschmiegten".[2])

Noch zu Lebzeiten des Künstlers wollte der Göttinger Philologe Heyne eine Lobschrift auf Tischbein verfassen, die er dem Freunde in einem Briefe vom Jahre 1810 also ankündigte: „Ich muß noch vor meinem Ende Ihrer Kunst ein Opfer bringen, ein Elogium, und die schriftliche Fortpflanzung Ihrer Kunstideen und dessen, was Sie für die Kunst sind und auch für die Nachwelt sein werden, selbst durch Ihre echten Kunstgefühle des Großen und Edlen, das hundert Künstler nicht hatten."[1]) Heyne hat diesen

---

[1]) Vgl. Winckelmann und sein Jahrhundert. Tübingen 1805.
[2]) Neuer deutscher Merkur. Augustheft, S. 256.
[3]) Brief vom 20. Febr. Abgedr. in Schillers Einl. zu Tischbeins Selbstbiogr., S. VI.

Plan nicht mehr ausgeführt, aber Tischbein besaß Freunde genug, die in Zeitungen und Zeitschriften die Werke und die Ideen des Künstlers priesen. 1821 schrieb v. Rennenkampf, der Kammerherr des Herzogs von Oldenburg, in den „Oldenburgischen Blättern" eine ganze Artikelserie über Tischbeins Idyllenbilder, die ein Jahr später als Buch erschienen unter dem Titel: „Wilhelm Tischbein, seine Erinnerungen in dem Herzoglichen Schlosse zu Oldenburg."[1]) Ein überschwenglicher, lyrischer Erguß, ist es weder für Tischbeins Biographie noch für seine künstlerische Tätigkeit von Bedeutung. Größere Wirkung auf die Wertschätzung Tischbeins hatte seine Bekanntschaft mit dem Herausgeber des Künstlerlexikons, Hans Heinrich Füßli, der ihm in dem 1816 erschienenen T-Bande einen besonders ausführlichen Aufsatz widmete. Dieser Aufsatz bringt eine Fülle Materials, das aber, bei dem unkritischen Geist seines Verfassers, sorgfältiger Sichtung bedarf. Seine Wichtigkeit behält es vor allem durch den reichlichen Hinweis auf zeitgenössische Kunstkritiken sowie durch die Aufstellung des Stammbaums der weitverzweigten Tischbeinschen Künstlerfamilie. In Füßlis Spuren wandelte noch 1848 Nagler.

Dazu kam noch Tischbeins ausgedehnter Verkehr mit fast allen berühmten Deutschen seiner Zeit, die Vielseitigkeit seiner Interessen und vor allem die internationale Bedeutung seines Vasen- und Homerwerkes, um seinen Namen zu einem der meist gesprochenen um die Wende des 18. Jahrhunderts zu machen.

---

[1]) Bremen 1822 b. Wilh. Kaiser.

Aber das hohe Alter, das Tischbein erreichte, die Abgelegenheit Eutins, seines letzten Wohnortes, und das Hinsterben seiner Freunde — und von persönlichen Freunden stammten fast alle Lobartikel der Zeitungen — machten schon zu Lebzeiten des Künstlers seinen Ruhm erblassen. Und als Tischbein 1829 starb, war er halb vergessen. Der „Neue Nekrolog der Deutschen"[1]) brachte nicht viel mehr als einen Auszug aus Füßlis Lexikon, ohne auch nur einen der vielen Irrtümer zu berichtigen. Die romantische Prophezeiung der „Hamburgischen Künstlernachrichten", daß Tischbein in seinen Werken fortleben werde, „solange Schönheit den Menschen noch Symbol der Sittlichkeit und diese der Menschheit heilig sein werde"[2]) erfüllte sich schon deshalb nicht, weil man seine Werke nicht mehr kannte. Tischbeins großer Nachlaß ging zum Teil in die Hände seiner Familie, zum Teil wurde er 1838 durch Harzen versteigert, ohne über Nordwestdeutschland hinauszugehen.[3])

Soweit man aber in maßgebenden Kreisen Tischbeins Bilder kannte, mag man bei dem Wandel des künstlerischen Geschmacks die Meinung vertreten haben, die schon ein Nekrolog, wohl als erste Stimme gegen seine Kunst, aussprach: „Durch Anschauung vieler antiker Formen begeistert, vermochte er doch nicht die Idee durch technische Fertigkeit zu ver-

---

[1]) 7. Jahrg. 1829, 2. Teil, Ilmenau 1831. S. 516 ff.
[2]) 1794. S. 42.
[3]) Von dem Auktionskatalog besitzt die Hamburger Stadtbibliothek ein Exemplar. Er war für die Zusammenstellung seines „Werkes" von Nutzen.

4

körpern und geriet dabei oft auf befremdende Abwege."[1] Die Münchener Zentralausstellung von 1859 begnügte sich, sein jugendliches Konradinbild auszustellen, und die zwei Bilder, welche 1861 die „Deutsche und historische Kunstausstellung" in Köln brachte, waren auch nicht geeignet, seinen Ruhm zu erneuern.

Konnte man darum Tischbeins künstlerische Bedeutung vernachlässigen, so machten es wiederum seine vielfältigen Beziehungen zu bedeutenden Zeitgenossen unmöglich, ihn ganz zu vergessen. Als 1835 und 1838 die „Briefe an und von I. H. Merck erschienen,[2] da fehlten auch Tischbeins Briefe nicht, die uns ein Bild seiner frühen Kunstanschauungen geben. Vor allem aber die aufkommende Goethe-Philologie durfte an des Dichters Freunde nicht achtlos vorübergehen, und dies besonders in jüngster Zeit, wo die Berührung Goethes mit Italien ein besonderes Interesse erregte und sich zu dem allgemeinen Problem erweiterte, was Italien bezw. Rom den Deutschen gegeben habe. Die Schriften eines Düntzer, Otto Harnack, Graevenitz, Noack, v. Klenze und Julius Vogel sind voll von Notizen über Tischbein und seinen Kreis. Nur hat diese Annäherung auf dem Umwege über Goethe dem Rufe Tischbeins, wie dem der anderen Künstler aus Goethes römischem Kreise, auch geschadet, indem die überragende Stellung des Dichters ihn zum bloßen Trabanten machte und eine von Goethe unabhängige Würdigung erschwerte.

---

[1] Artistisches Notizenblatt z. Abendztg. Dresden 1829, Nr. 18.
[2] Herausg. von Wagner. Darmstadt.

Inzwischen war 1861 nach langen Vorbereitungen, verspätet, und doch viel begehrt, die Selbstbiographie Tischbeins erschienen.[1]) Für die Kenntnis der Beziehungen zu Goethe brachte sie keine Bereicherung, wohl aber für die Erforschung der deutsch-römischen Verhältnisse des 18. Jahrhunderts. Mit einer fast romanhaften Jugendgeschichte beginnend, erzählt Tischbein in zwei starken Bänden sein reiches Leben bis zur Flucht aus Neapel (1799), und bruchstückweise einiges aus dem Hamburger und Eutiner Aufenthalt, etwa bis zum Jahre 1811. Für die Biographie Tischbeins ist dieses Werk grundlegend, und es ist auch, bei dem ausgezeichneten Gedächtnis seines Verfassers, im großen Ganzen zuverlässig. Verschweigen oder Verdrehen, zuweilen auch Erinnerungstäuschungen, liegen nur in einigen Fällen vor, in denen Tischbein, der stets das Bestreben zeigt, sich in gutes Licht zu setzen, irgendwie versagte. Die Einleitung Schillers gibt viel ergänzendes Material zu Tischbeins letzten zwei Jahrzehnten. Dieses Buch gab, ohne Hinzufügung neuen Stoffes, den Inhalt zu einigen lokalen Aufsätzen.[2])

Als Ergänzung der Selbstbiographie erschien 1872 im Seemannschen Verlage ein Buch: „Aus Tischbeins Leben und Briefen," zusammengestellt von dem Kammerherrn des Großherzogs von Oldenburg, Friedrich v. Alten. Es behandelt in wenig kurzweiliger

---

[1]) Aus meinem Leben. Hrsg. v. Dr. Schiller. 2 Bde. Braunschweig 1861.
  ·   · [2]) Beil. z. Weserztg. v. 24. April 1887: „Tischbein in Bremen." Beil. d. Zürich. Freitagsztg. 1890, Nr. 12: „Wilh. Tischbein in Zürich."

Form Tischbeins Beziehungen zum Weimarer Kreise und zum Oldenburger Hofe sowie die Entstehung der von Goethe geförderten Idyllenbilder, alles unter Hinzuziehung der reichen Briefschätze, die sich in Tischbeins Nachlaß fanden. Aus diesem Buche und der Selbstbiographie schöpft der 1888 von Louis Katzenstein in der Zeitschrift „Hessenland" erschienene Aufsatz über Wilhelm Tischbein,[1]) der 1894 in der „Allgemeinen deutschen Biographie" Aufnahme fand. Ohne Kenntnis des v. Altenschen Buches, wenngleich erst 1881 geschrieben, ist der französische Aufsatz von Edmond Michel, der unter dem Gesamttitel „Les Tischbein" in der „Reunion des Sociétés des Beaux-Arts"[2]) und im gleichen Jahre in Lyon als Buch erschien. Michel schweigt über Tischbeins Beziehungen zu Goethe ganz und verweilt dafür mit Vorliebe, aber auch hier ohne eigene Forschung, bei seiner Zusammenkunft mit Jacques Louis David.

Alle diese Arbeiten vernachlässigten über den biographischen Notizen Tischbeins künstlerische Tätigkeit. Einzig der fleißige Andresen bekümmerte sich darum, wenigstens soweit es seine graphischen Arbeiten anging, von denen er 1872 in seinem Buche: „Die deutschen Maler-Radierer des 19. Jahrhunderts" einen fast erschöpfenden Katalog herausgab. Ebenso fehlte noch völlig eine Einordnung Tischbeins in die Geschichte der deutschen Kunst, in der er nur kurz erwähnt oder, wie bei Förster und Riegel, ganz über-

---

[1]) Unter dem Gesamttitel: „Die Malerfamilie Tischbein" 1888, Nr. 11—13.

[2]) Quatrième Session. Paris p. 205—218.

gangen wurde. Erst 1888 nahmen sich Woermann und gleichzeitig Knackfuß seiner an. Während ihn aber Woermann noch in der Hauptsache zu der „konventionell klassizistischen Schule und obendrein zu ihren glatteren, porzellaneren und süßlicheren Vertretern" zählte[1]), wies ihm Knackfuß schon seine besondere Stellung zu als dem Maler mittelalterlicher Geschichtsbilder und Herold der zu seiner Zeit noch wenig beachteten frühitalienischen Malerei.[2])

Seit dieser Zeit gedachte man des Künstlers wieder öfters. Bei seinem Studium der Hamburger Malerei stieß Alfred Lichtwark auf Tischbein und erwähnte seine Beziehungen zu Hamburg 1893 in dem Buche über Hermann Kauffmann und ausführlicher 1898 in dem Werke: „Das Bildnis in Hamburg". Die ihm beigegebenen Porträts setzten Tischbeins künstlerische Fähigkeiten gerade auf diesem Gebiete in das günstigste Licht.

Selbst in Neapel, der Stätte zehnjähriger Wirksamkeit Tischbeins, regte sich seit 1897 einiges Interesse für seinen einstigen Akademiedirektor, das in Aufsätzen der Zeitschrift „Napoli nobilissima" seinen Ausdruck fand.

Wenn Tischbein trotz dieser vielen Erwähnungen selbst kunstgebildeten Kreisen nicht vertrauter wurde, so lag das daran, daß in den großstädtischen Museen, außer in Hamburg und in Frankfurt a. M., wo seit 1887 das große Goetheporträt hing, seine Bilder fehlten. Dem

---

[1]) Gesch. d. Malerei III. 2. Hälfte Lpzg. 1888, S. 1050 f.
[2]) Deutsche Kunstgesch. II. Bielefeld u. Lpzg. 1888, S. 382 ff.

größeren Publikum wurde Tischbein erst wieder durch die Jahrhundertausstellung von 1906 bekannt, die eine kleine, aber gute Auswahl seiner Werke brachte.

Diese Ausstellung, wie sie überhaupt das Interesse für die deutsche Kunst des 18. Jahrhunderts sehr gefördert, hat auch den Gedanken nahe gelegt, Wilhelm Tischbein eine Monographie zu widmen, schon aus dem gerade hier empfundenen Mangel heraus, die Werke dieses Tischbein von denen seiner gleichnamigen Vettern und Onkel reinlich zu scheiden. Diese Monographie zu geben wird im folgenden versucht. Die biographischen Einzelheiten der eben erwähnten und noch vieler kleiner, später zu nennender Quellen zu einer Gesamtbiographie des Künstlers zusammenfassend, versucht sie zum erstenmale der künstlerischen Entwicklung Tischbeins nachzugehen. Die Aufzeigung dieser Entwicklung wird sich als lohnend erweisen nicht nur für die Kenntnis des Künstlers selbst, sondern auch der zweiten Hälfte des 18. Jahrhunderts, denn Tischbein ist durch seinen Verkehr mit fast allen bedeutenden Männern seiner Zeit ein beträchtlicher Faktor des damaligen geistigen Lebens gewesen, um so mehr, da er auf manche von ihnen, ja sogar auf Goethe einen bedeutenden Einfluß ausgeübt hat. Zudem hat er selbst, bei seiner wandelbaren und vielseitigen Natur, fast alle wissenschaftlichen und künstlerischen Strömungen des 18. Jahrhunderts in sich aufgenommen und kann als eine Art Schulfall sowohl des Sturmes und Dranges, als auch des Klassizismus in Deutschland betrachtet werden. Die künstlerische Bewertung seiner Werke wird, trotz aller im einzelnen geübten Kritik, die Stellung Tischbeins als eines der tüchtigsten deutschen Künstler des 18. Jahrhunderts befestigen.

Schließlich sucht die genauere Erforschung der von Tischbein gemalten Porträts bedeutender Persönlichkeiten einen Beitrag zur Ikonographie des 18. Jahrhunderts zu liefern.

II. Kindheit, Lehr- und Wanderjahre 1751–1781.

1. Haina, Hamburg und Bremen 1751—1772.

Naturstudien. Holländisch-deutsche Einflüsse. ▱ ▱ ▱ ▱ ▱ ▱

Johann Heinrich Wilhelm Tischbein wurde als der Sproß einer zahlreichen Künstlerfamilie am 15. Februar 1751 zu Haina in Hessen geboren. Sein Vater Johann Conrad († 1778), ein kunstgewandter Tischler und Drechsler, gab ihm den ersten Unterricht im Zeichnen, und im Verein mit seinen Vettern und Basen übte er diese hier ganz selbstverständliche Kunst. Eine rasch auf die Wand geworfene Kohlenskizze, eine Jagd auf Hirsche und Eber, der erste Versuch in der später mit so viel Glück geübten Tiermalerei, brachte ihm den Beinamen „der Maler" ein. Damit war sein Beruf entschieden; er bedeutete in dieser Familie, in der bereits fünf Onkel Maler waren, nichts Außergewöhnliches. Schulbildung genoß er, dessen Jugend in die Wirren des Siebenjährigen Krieges fiel, nur wenig; alle seine spätere, nicht geringe Bildung verdankte er eigenem Studium. Wohl aber lernte er, sich in der Natur, die ihn in Haina reichlich umgab, gründlich auskennen. Das Pflanzen- und Tierreich — dieses ihm noch durch ein Buch mit Aesops Fabeln nahe gebracht, dessen Kupfer er getreulich kopierte — füllten seine Phantasie und gaben ihm den Stoff zu seinen Zeichnungen.

11

Noch einen starken, bleibenden Eindruck vermittelten ihm die Kinderjahre: es war das Hainaer Hospital. Irre wurden dort gepflegt, und was ihr Studium dem späteren Physiognomen bedeutete, erklärt Tischbein selbst mit den Worten: „Die bis zur Verwirrung gesteigerten Leidenschaften sprechen sich stark und bestimmt aus, so daß der, welcher Menschen studieren will, hier gleichsam den Stimmhammer findet für alle die einzelnen Töne, welche in dem großen Weltkonzerte der menschlichen Leidenschaften liegen."[1])

Der vierzehnjährige Knabe wurde zu seinem berühmten Onkel Johann Heinrich Tischbein geschickt, der als Hofmaler des Landgrafen Friedrich II. in Kassel lebte. Seine Beschäftigung bestand nun darin, Farben zu reiben, Tücher zu grundieren und Pinsel zu putzen, so daß von einem eigentlichen Schülerverhältnis, wie es die meisten Handbücher erwähnen, nicht die Rede sein kann. Der große Eindruck, den er in Kassel empfing, war auch nicht das Atelier seines Onkels, sondern die landgräfliche Tiersammlung, in der er Eichhörnchen, Hirsche und Hasen zeichnete.

Nach etwa Jahresfrist bat sich ihn sein zweiter Onkel, der Maler Johann Jakob Tischbein, aus, und er ging nach Hamburg. Hamburg war damals in künstlerischer Beziehung eine holländische Stadt, und auch Johann Jakob verdiente sich sein Brod mit holländisierenden Bildchen. Daß er außerdem ein guter Porträtist war, bezeugt sein kleines „Bildnis einer lesenden Dame" in der Hamburger Kunsthalle, das mit hollän-

---

[1]) Selbstbiogr. I, S. 46.

discher Genauigkeit und Farbenfeinheit gemalt ist. So wurde denn auch Tischbein ganz zum Holländer erzogen. Er kopierte die Bilder seines Onkels, und als er sich an ein selbsterfundenes Motiv heranwagte, fiel es holländisch genug aus: ein Schäfer, der lesend auf einem Sandhügel sitzt, rings von weidenden Ziegen umgeben, in der Ferne dunkle Gewitterwolken. So wäre die Laufbahn des jungen Tischbein ganz ruhig dahingegangen, er wäre ein fleißiger, fast handwerklicher Erbe der holländischen Kunst geworden, wie sein Onkel, hätte ihn nicht sein Ehrgeiz zu höheren Zielen getrieben. Der Funke wurde entzündet, als er hörte, daß ein Historienmaler weit höher zu schätzen sei, als ein simpler Tier- und Landschaftsmaler. Sogleich faßte er den Plan, nach einem italienischen Vorbild — der junge Tobias macht seinen blinden Vater wieder sehend — ein „Historienbild" zu komponieren. Der vorsichtige Onkel verbot ihm diesen Hochmut, Tischbein widersetzte sich und mußte das Haus seines Lehrers verlassen. Wie lange der Aufenthalt bei Johann Jakob währte, läßt sich nicht mehr feststellen; es mögen zwei bis drei Jahre gewesen sein, und sie bedeuteten die ganze Lehrzeit Tischbeins. Hierin mag man einen der Gründe sehen, warum Tischbein später die malerische Tradition so schnell über Bord warf und warum so viele seiner Bilder den Eindruck machen, von einem begabten Dilettanten gemalt zu sein.

An Historienbilder durfte er vorerst nicht denken, er mußte froh sein, als sich ein Hamburger Kunsthändler seiner annahm und ihn für sich kopieren ließ, nach Wouwermann und Berghen, wie es die Kundschaft verlangte. Nebenbei erhaschte Tischbein hier und da einen kleinen Porträtauftrag, den er zur Zufriedenheit löste. Wesentlicher war, daß dieser Kunsthändler Stiche nach Michelangelo und Raffael besaß. die der Jüngling wie eine fremde Welt anstaunte. Und hier zeigte sich schon früh ein ihm eigentümlicher Zug; er liebte die Bilder nicht, wie Maler es zu tun pflegen, ganz subjektiv und ohne jedes Bedürfnis zur Klassifizierung: sein Bilderinteresse war von vornherein wissenschaftlicher Natur. Die Aufzeichnungen über die reichen Hamburger Bilderschätze in seiner Selbstbiographie, denen die Eindrücke jener Zeit zugrunde liegen, sind von peinlicher Genauigkeit. Bei keiner Auktion fehlte er, sein Verkehr waren die vielen Kunstfreunde, die in jener Zeit des Stillstandes eine rege Sammeltätigkeit an holländischen Bildern entfalteten, seine freien Stunden waren den kleinen Händlern gewidmet, die auf dem Jungfernstiege ihre holländischen und deutschen Stiche feilboten. Von deutschen Werken zogen ihn die Tierstiche des Joh. Heinr. Roos und des Joh. Elias Ridinger besonders an, Künstler, die sich von den Holländern höchstens durch eine größere Sachlichkeit und Trockenheit unterscheiden. Ridinger hat ihn sicherlich stark beeinflußt; dessen Radierwerke: „Kämpfende reißende Tiere" (Augsburg 1766) verdankt er gewiß den Anstoß zu seinen viel späteren Tierbildern, wie dem „Kampf einer Löwenfamilie mit einer Riesenschlange" (A 109) oder dem „Überfall der Füchse auf eine Gänsefamilie". Auch die Gewohnheit Tischbeins, seine Zeichnungen durch lehrreiche Unterschriften zu er-

14

klären, findet man bei Ridinger. Und wie Ridinger in Ermangelung eigener Ideen einen Brockes zu Hilfe bat, so bemühte Tischbein in gleicher Absicht Goethe, Christine Westphalen und andere mehr.

Es ist nur natürlich, daß sich der Künstler bald nach dem Ursprung aller dieser Kunstwerke, nach Holland, sehnte. Um die Mittel dafür zu gewinnen, vertauschte er, nun zwanzigjährig, Hamburg mit Bremen, wo er hoffen konnte, den Wettbewerb leichter zu ertragen. Bald flossen ihm auch die Porträtaufträge reichlich zu. Daneben radierte er einige Zeichnungen Rembrandts und ahmte die Technik seines Vorbildes so täuschend nach, daß Stiche eigener Erfindung als echte Rembrandts gingen. Nicht geschaffen, in kleinen Verhältnissen zu leben, wollte er, als er hörte, daß in England ein Porträtmaler zu Geld und Ansehen kommen könne, — der Ruf eines Reynolds mag zu seinen Ohren gedrungen sein — über Holland nach England reisen. 1772 verließ er Bremen.

2. Die Reise nach Holland 1772—1773.
Tischbein als Kunstschriftsteller. ▣ ▣ ▣ ▣ ▣ ▣ ▣

Wenn man in Tischbeins Selbstbiographie den Bericht über seine holländische Reise liest, so ist man erstaunt, wie wenig der Maler von seiner eigenen Kunst, wieviel er von der Kunst anderer zu sagen weiß. Gemalt hat er während des holländischen Jahres, außer Porträts, gar nicht, wohl nicht einmal kopiert: ihm war es genug, sich Rechenschaft zu geben von den tausend Eigentümlichkeiten, durch die sich die holländischen Kleinmaler voneinander unterscheiden. Im 18. Jahrhundert sind so frische Bilderbeschreibungen selten; darum sei hier eine Probe gegeben, die über den Charakter der gesamten holländischen Kunst spricht: „Man muß auch den Geschmack der Holländer bewundern, wie sie aus einer armseligen, sterilen Gegend ein Bild haben schaffen können, das Anmut und Seele hat. Oft ist der Ort nichts anderes, als ein flaches Sandufer und ein Strich See und Himmel; aber da haben sie eine Abwechselung von Licht und Schatten und Farben hineingebracht, daß es reizend ist. Sie wußten auszuschmücken mit Schatten der Wolken, die über das Wasser laufen und es hier und da schwärzen oder einen Sonnenstrahl durchschießen lassen, der einen Fleck der See beleuchtet und auf den gelben Sand fällt, und um die Ferne auf dem Wasser recht weit scheinen zu lassen, setzten sie auf die verschiedenen Flächen Schiffe, einige nahe, andere in den Mittelgrund, andere ins Licht, wo ihre weißen Segel in der Beleuchtung glänzen; gaben auch den Segeln verschiedene Farben, graue, rote, gelbe; so wurden aus diesen einfachen Gegenständen angenehme Bilder."[1]) Übrigens ist es noch ganz die Anschauung des 18. Jahrhunderts über die Holländer, die sich in diesen Worten spiegelt. Ihr künstlerischer Vorzug wird nicht darin erblickt, den Stoff vergessen zu lassen, sondern ihn mit allerlei geistreichen Mitteln zu beleben. An neuen Eindrücken gewann Tischbein vor allem die Kunst des Jan Steen, den er, wiederum

---

[1]) Selbstbiogr. I, S. 112. f.

im Keime schon den künftigen Physiognom tragend,
wegen seiner trefflichen Charakteristik schätzte. In
Amsterdam ging er den Spuren Rembrandts nach,
zu einer Zeit, in der Rembrandts Kunst langsam in
Vergessenheit geriet.

Neben den Kunstschätzen besuchte er die Na-
turalienkabinette und die Sammlungen von fremden
lebenden Tieren, die aus aller Welt nach Amsterdam
kamen und erwirkte sich durch seine Naturkenntnisse
den Auftrag, für ein Werk von Nozemann: „Neder-
landsche Vogelen" einige Platten zu radieren. Ein
Kaufmann aus Edinbourgh bot ihm die Mitreise nach
England an; da packte Tischbein das Heimweh und
er kehrte nach Deutschland zurück.

3. Kassel, Hannover, Berlin 1773—1779.

Einflüsse des Rokoko. ⊠ ⊠ ⊠ ⊠ ⊠ ⊠ ⊠ ⊠ ⊠ ⊠ ⊠

Wieder ging er nach Kassel, nicht mehr um zu
lernen, sondern um seinen Unterhalt zu suchen. Er
verband sich mit seinem älteren Bruder Johann Heinrich zu einer gemeinsamen Werkstatt. Sein Aufenthalt erfuhr eine kurze Unterbrechung durch eine Reise
nach Hannover, dahin ihn 1774 ein Freund seiner
Kunst, der Kaufmann J. F. Winckelmann, zu Gaste lud.

Im Hause dieses Mannes lernte er das erste Mal
den Zauber der wiederentdeckten Antike verstehen,
sah er das erste Mal Abgüsse nach antiken Statuen,
las er den Homer, den er nach kurzer Zeit fast aus-
wendig konnte und noch zur Freude des Vater Gleim
in Pyrmont rezitierte.

Aus jener Zeit scheint ein Bild zu stammen, das sich im Besitz der Familie Strack (Grunewald bei Berlin) befindet und der Tradition nach den Dichter J. G. Jakobi darstellt. Da Jakobi das Haus des Kaufmanns Winckelmann öfters besuchte — war doch seine Schwester Winckelmanns Frau — so verdient diese Tradition völlige Glaubwürdigkeit, wenn auch Tischbein in seinen Aufzeichnungen das Bildnis nicht erwähnt. Man sieht den Dichter in ganzer Figur, doch weit unter Lebensgröße, im Freien unter einer Eiche sitzen, die Arme auf die Lehne seines Stuhles gestützt. Die zierliche Art des Sitzens, nicht im Zimmer, sondern in der freien Natur, spricht von der anakreontischen Luft, die in diesen Kreisen geweht haben mag, während die farbige Haltung des Bildes nach Holland weist.

Nach Kassel zurückgekehrt, hielt er sich nun zwei Jahre in dieser Stadt auf, und man darf annehmen, daß die Kunst, die ihn hier umgab, nicht ohne Einfluß auf ihn blieb. Leider sind die meisten seiner Jugendwerke verschollen, aber das wenige, was bekannt ist, genügt doch, um eine Wandlung festzustellen. Es sind ein Frauenporträt, das im Museum zu Gotha hängt, und sein Selbstbildnis in der Hamburger Kunsthalle. In dem Gothaer Brustbild der Frau Luise Holzapfel sieht man nichts mehr von holländischen Tönen, auch nicht den van Dyckschen Einfluß, dem sich Tischbein bei manchen früheren Porträts, wie er selbst erzählt, fast sklavisch unterwarf; die hellen Farben des Rokoko sind an ihre Stelle getreten. Ein Kleid von hellgrüner Seide, das mit einem weißen Shawl bedeckt ist, vor der Brust ein paar Blumen, auf dem Kopfe eine weiße, mit einem schönen Häubchen gezierte Perücke, dazu ein lächelndes Antlitz: alles das atmet den Duft des Rokoko. Man denkt vor diesem Bilde unwillkürlich an Wilhelms Onkel, Johann Heinrich Tischbein, und von ihm wie von der ganzen Umgebung, die ihn in Kassel umfing, scheinen diese und wohl etliche ähnlichen Bilder Wilhelm Tischbeins inspiriert zu sein.

Daß die Entwicklung Tischbeins vom holländisierenden Künstler zum Rokokomaler nicht noch besonderer Begründung bedarf, liegt bei der Verwandtschaft dieser beiden Strömungen im 18. Jahrhundert auf der Hand. Ob man nun die Holländer, die Franzosen oder die Italiener des 17. Jahrhunderts verzierlichte, das Gefühl blieb das gleiche; und was sich bei Tischbein als ein Nacheinander vollzog — ganz sicher ist das freilich bei der geringen Anzahl der erhaltenen Werke nicht mehr festzustellen — lag bei manchem andern Künstler, man denke nur an Dietrich oder Seekatz, friedlich nebeneinander.

Betrachtet man das Bildnis der Frau Holzapfel genauer, so zeigt sich freilich, daß es trotz der angegebenen Merkmale kein ganzes Rokokobildnis ist. Das Antlitz bei Rokokoporträts sitzt meist etwas im Bilde drin, ist auch gewöhnlich leicht verkleinert, während es hier in natürlicher Größe gegeben ist und sehr weit nach vorn tritt. Vor allem aber die zeichnerische Art, die Korrektheit und beinahe trockne Klarheit des Ausdrucks sprechen schon von einer späteren Zeit. In dieser Klarheit und Simplizität sind zugleich die Merkmale enthalten, die für den künstlerischen Charakter Tischbeins bezeichnend sind. Weit mehr Rokokograzie zeigt sein jugendliches Selbstporträt, das zwar nach der Tradition erst in Italien um 1780 entstanden sein soll, seiner ganzen Haltung nach aber wohl schon etwas früher zu setzen ist. Der grellrote Rock mit der goldenen Borte und die porzellanene Glätte des Gesichtes geben dem Bilde einen höfischen Zug.

Diese Porträts lassen es verstehen, daß Tischbein rasch den Zutritt zum Kasseler Hofe fand, um so mehr, da sein Onkel dort ein- und ausging. Die Landgräfin Philippine gab ihm den Auftrag, ihren Neffen, den Prinzen von Württemberg, zu malen, und da das Bild gefiel, ließ sie sich selbst herbei, dem Maler zu sitzen.[1]) Ja, noch mehr, sie sprach den Wunsch aus, auch ihre Schwester, die Gemahlin des Prinzen Ferdinand von Preußen, von seiner Hand gemalt zu sehen und schickte ihn mit einer Empfehlung 1777 nach Berlin.

Diese Empfehlung führte ihn bald in die höchsten Kreise ein. Nachdem er seinen Auftrag erfüllt, malte er die ganze Familie des Prinzen Ferdinand, dann den Minister Finkenstein in halber und in ganzer Figur, im Kostüm des Ritters vom Johanniterorden, und schließlich die Königin selbst, die Gemahlin Friedrichs des Großen, in einer dreiviertelstündigen Sitzung.[2]) Seine Bildnisse fanden solchen Anklang,

[1]) Auch Wilhelms Onkel Joh. Heinr. Tischbein hat die Landgräfin gemalt.

[2]) J. Vogel: Aus Goethes Römischen Tagen. Leipzig 1905. S. 108 nennt versehentlich ein Porträt Friedrich II. von Wilhelm Tischbein.

daß er sie gewöhnlich ein paarmal kopieren mußte. Die Aufträge wuchsen nun dergestalt, daß er häufig drei Bilder an einem Tage malte, ohne sie erst aufzuzeichnen; und der „Deutsche Merkur" unterschätzte gewiß seine Tätigkeit, wenn er die Zahl der binnen Jahresfrist gefertigten Porträts etwa 50 sein ließ.[1]) Schließlich mußte sich Tischbein seinen jüngeren Bruder Heinrich Jakob zu Hilfe rufen, um allen Ansprüchen gerecht zu werden.

Die Berliner Bilder müssen fast sämtlich als verschollen gelten. Das Porträt der Elisabeth von Braunschweig hat noch 1856 Schasler im Palais Friedrich Wilhelms III. gesehen.[2]) Dieses Palais wurde vor der Instandsetzung für die jetzigen Kronprinzlichen Herrschaften von allem Inventar geräumt. Freilich befindet sich das Werk auch nicht mehr im Inventarverzeichnis, woraus man schließen darf, daß es schon früher aus diesem Palast entfernt wurde. Man wird es in den Königlichen Schlössern suchen müssen, deren reicher Besitz an Kunstwerken hoffentlich bald einmal katalogisiert wird. Die Porträts des Prinzen Louis Ferdinand und seiner Familie mögen, sofern dessen jüngster Sohn, Prinz August, sich ihrer nicht entäußert hat, in Fürstlich-Radziwillschem Besitz sein.[3]) Vielleicht darf man eins von ihnen in einem kleinen Brustbild des Prinzen wiederfinden, welches das Ber-

---

[1]) Jahrg. 1781. Maiheft, S. 163.

[2]) M. Schasler: Die öffentlichen u. Privat-Kunstsammlungen .... in Berlin. Bd. II. 1856, S. 264. Nr. 364.

[3]) Diese Mitteilung verdanke ich Herrn Prof. Paul Seidel in Berlin.

liner Hohenzollernmuseum bewahrt. Zwar ist es in Pastell gemalt, einer Technik, in der wir kein beglaubigtes Bildnis Tischbeins besitzen, aber der etwas glotzende und stumpfe Ausdruck der Augen, die dem Kopf ein eigentümliches Pathos verleihen, und die Art, wie dieser Kopf den Raum dicht ausfüllt, erinnern ganz an Tischbeinsche Porträtauffassung.

Von dem Brustbild des Ministers Finkenstein kündet wenigstens ein Stich, den Daniel Berger 1787 für den 10. Band der Berliner Wochenschrift schuf. Der stark gedrehte Körper wie die ganze Haltung zeugen von Rokokoauffassung, und in dieser Art mögen alle seine Berliner Porträts gehalten sein, will man sich ihre Beliebtheit erklären. Denn Berlin stand damals noch ganz unter dem Banne des französischen Rokoko. Am Hofe, in der Akademie und in den Palästen, überall sucht man sein Vorbild in der französischen Kunst.

Aber gerade diese Fülle des Rokoko scheint die Abkehr Tischbeins, der von Hause aus ein Naturkind war, beschleunigt zu haben. Ein äußerer Anlaß kam hinzu. In Kassel war 1778 eine Kunstakademie gegründet worden, an deren Spitze Johann Heinrich Tischbein stand. Sie setzte sich die Aufgabe, jungen Künstlern durch Reisestipendien eine Fahrt nach Italien zu ermöglichen, um ihren Geschmack zu läutern. Was lag näher, als den talentvollen und beim Hofe beliebten Neffen zum ersten Stipendiaten zu erküren? Damit war der Bruch auch äußerlich vollzogen. In seiner Selbstbiographie schreibt Tischbein davon: „Am Ende wurden mir auch solche modernen Porträts

22

mit den gepuderten Haaren und den geschminkten Wangen, wo man nie die Natur malen kann, weil die Originale selbst nicht wahr sind, zuwider."[1])

Das Porträt der jungen Schauspielerin Doebbelin (1758—1828) als Ariadne, das uns im Stiche Daniel Bergers von 1779 erhalten ist und wohl kurz vor der Abreise aus Berlin 1778 gemalt wurde, zeigt vielleicht schon die Folgen seines Bruches. Wenn der Stich nicht trügt, hat Tischbein die Künstlerin in sachlicher Weise, ohne jede Verschönerung, dazu in antikem Gewande, dargestellt.[2]) Wie einige Jahre vor ihm Goethe der „geschminkten Puppenmalerei" den Abschied gegeben[3]) — und auch Goethe stand nicht allein in dieser Bewegung — so dürstete Tischbein nach einer Kunst, frei von aller Konvention und Geziertheit.

4. Die Reise nach Italien.

Liebe zu Dürer. S S S S S S S

Am 15. Oktober 1779 reiste Tischbein von Kassel, wo er seine Reisevorbereitungen getroffen, nach Italien, in der Tasche den Homer tragend. In Nürnberg machte er Halt, um sich in Dürers Werke zu versenken. War er wohl auch durch Goethes Schriftchen „Von deutscher Baukunst" dazu angeregt, so zählt ihn jedenfalls diese damals fast verschollene Bewunderung

---

[1]) I, S. 137 f.

[2]) Eine Abb. d. Stiches b. Michel: Les Tischbein; und stark verkleinert b. Könnicke: Bilderatl. z. Gesch. d. Deutsch. Nationallit. 2. Aufl. Marburg 1895, S. 340.

[3]) Von deutscher Baukunst 1773.

Dürers der kleinen Gemeinde zu, der Öser, Lavater, Goethe und Merck angehörten. Was ihm Dürers Werke gerade in diesem Augenblicke wert machte, das war die Geradheit und Knorrigkeit seiner Bilder, frei von der Süßlichkeit, die ihm das Rokoko verleidet hatte.

In Augsburg besuchte er die Wohnung des damals schon verstorbenen Ridinger, in München verlieh er seiner Verehrung für Dürer den deutlichsten Ausdruck damit, daß er die sogenannten „Vier Apostel" in Lebensgröße kopierte.[1]) Venedig gab ihm die Kunst Tizians, Florenz fesselte ihn länger, als später Goethe, aber einen bleibenden Eindruck hinterließ es auch in ihm nicht; seine Liebe zur frühitalienischen Malerei war damals noch nicht erwacht. Im Dezember des Jahres 1779 betrat er Rom.

5. Erster römischer Aufenthalt 1779—1781.
Rückkehr zur Natur. ▣ ▣ ▣ ▣ ▣ ▣ ▣ ▣ ▣ ▣ ▣ ▣ ▣ ▣

„Ich wollte den Freuden der Welt entsagen und dort nur mit Menschen umgehen, von denen ich etwas lernen könnte." Diese Worte aus Tischbeins Selbstbiographie[2]) können als Motto zu seinem römischen Aufenthalt dienen. Der gefeierte Maler des Berliner Hofes zeigte den anerkennenswerten Mut, seine künstlerische Laufbahn noch einmal zu beginnen.

Zu lernen gab es freilich in jenen Tagen genug. Anton Raphael Mengs hatte kaum die Augen geschlossen, und seine Anschauungen boten gewiß den

---

[1]) Diese Kopie ist im Bes. des Herrn Oberlehrer Harders in Eutin.
[2]) I, S. 139.

Hauptgesprächsstoff der damaligen Künstlerschar. Er hatte die Ansicht ausgesprochen, daß die Kunst des ausgehenden 17. Jahrhunderts krank sei und man sich daher hüten müsse, auf ihrem Wege weiter zu gehen. Man müßte vielmehr den Faden der Entwicklung einfach abschneiden und ihn an früherer Stelle wieder anknüpfen. Wie man zu den Quellen der Zivilisation zurückging, zur Natur, so sollte man auch zu den Quellen der Kunst zurück, zum goldnen Zeitalter der Kunst, zur Antike. Von neuerer Kunst wäre nur die Hochrenaissance der Antike zu schätzen und die zweite Renaissance, die ihren Ursprung in der Akademie von Bologna hätte. Alle große Kunst könnte eben nur noch Wiedergeburt sein, und zu einer solchen Wiedergeburt müßte man auch jetzt wieder schreiten.

Damit diese Wiedergeburt aber keine bloße Wiederholung sei, führte man ein neues Prinzip ein: den Eklektizismus. Man wäre nicht gezwungen, jeden Meister als vollkommen anzusehen, sondern hätte die Freiheit manches auszuschalten und das Vollkommene zusammenzusuchen, wo man es fände, freilich stets in dem schon gesteckten Rahmen. Durch dieses Verfahren wäre es einzig möglich, die vergangene Kunst noch zu übertrumpfen.

Und die Natur? Gewiß, man könnte, wie man zur Antike zurückging, auch noch weiter zurückgehen, zum Stoff der Antike, zur Natur selber. Dann müßte man es freilich mit der Natur so machen, wie mit der Kunst, nicht wahllos sich ihr unterjochen, sondern mit ordnender Hand nur ihre schönsten Blumen pflücken und sie zum Strauße zusammenbinden. Aber wozu diese

Zeitvergeudung? Da die Kunst der Vorfahren schon die Arbeit der Auslese aus der Natur vollbracht habe, so wäre es durchaus unvernünftig — und vernünftig wollte man ja vor allem sein — sich diesen Gewinn entgehen zu lassen. Die erste Siebung, die der Natur, sei bereits vollzogen, nun wäre es nur noch nötig, die zweite Siebung vorzunehmen, die der Kunst.

Diese Anschauungen mögen Tischbein bald nach seiner Ankunft umschwirrt haben; denn zu gleicher Zeit stürzte er sich auf die Antike und die beiden Renaissancen. In der Privatakademie des Schweizers Trippel, der in Rom als der erste deutsche Bildhauer galt, zeichnete er, im Verein mit dem Bildhauer Zauner, den Malern Grandjean, Mechau, Franz Kobell und Füger, an den er sich mit Vorliebe anschloß, nach antiken Statuen und nur des Abends nach der Natur. Daneben kopierte er Raffael, Giulio Romano, Michelangelo, und von den Bolognesen Guido Reni und Domenichino.[1])

Und doch kam Tischbein — und hieraus entspringt der entscheidende Moment seiner Entwicklung — eigentlich von einer anderen Seite. Er kannte das ausgehende Barock zu wenig, um es zu hassen und durch die einfachere Antike reinigen zu wollen: sein Gegner war vielmehr die Unnatur des Rokoko, gegen die es nur ein Heilmittel gab, die Natur selber. Ihm war Raffael nichts anderes als Dürer oder Holbein und

---

[1]) Eine Kopie Tischb. (im Besitz d. Familie Strack, Grunewald bei Berlin) wohl aus dieser Zeit, den Knaben mit der Taube aus Renis „Darbringung im Tempel", brachte die Berliner Jahrhundertausstellung von 1906 irrtümlich als Originalwerk Tischbeins.

so konnte er seinem Bruder in einem Briefe aus Rom alle drei in einem Atem empfehlen, „denn die drei sind ohne Manier, bloß Natur".[1]) Raffael sagte ihm von allen Italienern am meisten zu; er kopierte die Grablegung und die Fresken des Vatikan; aber — und das ist bezeichnend — nur die Köpfe, weil sie ihm so charakteristisch erschienen. Gerade diese Fähigkeit Raffaels, zu charakterisieren, die ihm den leisen Vorwurf eines Mengs eintrug, „daß Raffael nicht in der Schönheit, sondern nur in der Ausführung des Ausdrucks ideal war",[2]) erregte Tischbeins einzige Bewunderung, und darin sah er Raffaels große Kunst, „wie er Charaktere, die sich einander gleichen, doch voneinander unterschieden hat".[3])

Als Charakteristiker nahmen ihn beide, Mengs und Tischbein, nur in ihrer Wertung waren sie verschieden; Tischbein war es das Wesentliche, Mengs kannte etwas darüber, die Darstellung des Schönen. Als Charakteristiker nahm ihn das ganze 18. Jahrhundert, und noch 1805 schrieb J. H. Meyer von ihm in „Winckelmann und sein Jahrhundert": ... „das Charakteristische ist dieses Meisters großes Kunstverdienst".[4])

Trippel suchte ihn von den Renaissancekopien fort und ganz zur Antike hinzuleiten. „Da wir das Vollkommene in den Werken der Griechen haben", äußerte er einst zu Tischbein, „warum verwirrt man

---

[1]) Briefe Tischbeins a. Rom. Im deutschen Merkur v. 1781, S. 49.
[2]) Mengs sämtl. hinterl. Schriften. Herausg. von G. Schilling, Bonn 1843 I, S. 148.
[3]) Briefe Tischbeins aus Rom. Ebenda S. 52 f.
[4]) S. 299.

sich denn und verliert Zeit mit den unvollkommenen Bildern, die voll von Mängeln sind"?[1]) Er erreichte damit, daß sich Tischbein nunmehr den Diskuswerfer und den Apollo von Belvedère zum Vorbild nahm und nach ihnen kopierte. Aber auch hier war sein Streben vornehmlich auf die Natur gerichtet. Die Antike war ihm nur ein Weg zur Natur hin. Er schilderte damals in einem Briefe an Merck, wie er Füße zeichnete: „Was das schwer ist, sollte man sich nicht vorstellen. In der Natur findet man selten einen guten Fuß, weil sie alle durch die Schuhe verdorben sind. Ich habe deren auch nach der Anatomie gezeichnet, dann nach der Antike",[2]) und in Erinnerung daran schreibt er bei der Schilderung seines ersten römischen Aufenthaltes: „Nur in der Antike sind die Masse und Formen deutlich und richtig; diese muß man studieren und hat man sie erkannt, so findet man sie auch in der Natur."[3])

Daß sich ihm der Begriff Natur schon damals etwas verschob, indem sich das Gewicht nicht mehr so stark auf das Einzelcharakteristische legte, sondern vielmehr auf das Gutgewachsene, das Organische, merkte er selbst gewiß nicht. So wäre er vielleicht ganz allmählich in streng klassizistische Bahnen gedrängt worden, hätten nicht äußere Ereignisse seinem römischen Aufenthalt ein Ende gemacht. Sein Stipendium ging im Herbst des Jahres 1780 zu Ende; vergebens bat er seinen Gönner Merck, für ihn ein gutes Wort einzulegen, vergebens bot er der Kasseler Aka-

---

[1]) Zit. n. Tischb. Selbstbiogr. I, S. 187.
[2]) Briefe an und von J. H. Merck 1835, S. 518.
[3]) Selbstbiogr. I, S. 184.

demie alle seine Werke an, wenn man seine Frist verlängere: er mußte seinem Nachfolger Platz machen, „gerade so wie die Schildwachen an den Toren wechselten".[1]) Zu eigenen Arbeiten war er noch gar nicht gekommen, nur zu einer kleinen italienischen Landschaft und zu seinem ersten historischen Versuche, der schwach genug ausgefallen sein mag; „Herkules, der zwischen Tugend und Laster wählt"; diese zwei Bilder sandte er zur Gemäldeausstellung der Kasseler Akademie von 1781.[2]) Ehe er seinen glühenden Wunsch, ein Historienmaler zu werden, erfüllt sah, mußte er Italien verlassen. „Tantalus kann nicht mehr Schmerz empfinden, wenn ihm der wohlschmeckende Apfel vor dem hungrigen Munde weggeschnappt und die kühlen Wellen ihm vor der lechzenden Zunge und dem trockenen Halse wegweichen, als ich empfand, da ich mich so nahe an meinem Wunsche sah und auf einmal wieder so weit davon entfernt."[3])

Tischbein dachte daran, nach Frankreich zu gehen, wohl in der Hoffnung, dort leichter sein Brot zu verdienen, als in Rom, aber seine Mittel reichten dazu nicht aus. So machte er sich im Frühling des Jahres 1781 nach Deutschland auf; völlig verarmt mußte er seiner Reise schon in Zürich ein Ziel setzen.

---

[1]) So schrieb Merck in einer anonymen Notiz im deutschen Merkur v. 1781. Novemberh. S. 172.

[2]) Vgl. Meusel: Miscell. artist. Inhalts. Erfurt 1782, Heft X, S. 230.

[3]) Brief an Goethe vom 13. April 1782. Abgedr. bei Beck: Ernst II., Herzog zu Sachsen-Gotha und Altenburg, Gotha 1854, S. 265 f.

III. Der Aufenthalt in Zürich 1781—1782.
Sturm und Drang. ▣ ▣ ▣ ▣ ▣ ▣ ▣ ▣ ▣ ▣ ▣
1. Züricher Verhältnisse. ▣ ▣ ▣ ▣ ▣

Wenn irgend eine Stadt Tischbein mit offenen Armen aufnahm, so war es Zürich. Tischbeins Natursehnsucht, seine Liebe zu den deutschen Meistern, sein Hang zum Charakteristischen, alles war hier zu Hause und wurde bereits mit einer gewissen Selbstverständlichkeit vertreten. Darum ging man auch nicht so weit, gegen die „klassischen Figuren" anzukämpfen, „die keinen Genuß geben", und die Natur gegen „Zirkel, Lineal und Nachäfferei" auszuspielen,[1]) sondern man liebte hier die Antike und gab ihr neben der Natur ihr Recht.

Wenn sich gleichwohl in Tischbeins Züricher Werken kein Weitergehen auf dem antiken Wege findet, so lag das daran, daß Zürich den Künstlern ganz andere Aufgaben stellte. Das Porträt stand hier im Vordergrunde des Interesses. Sulzer, in seiner „Allgemeinen Theorie der Schönen Künste", hatte ihm den Ehrenplatz neben dem Historienbilde angewiesen, das einen Teil seines Wertes vom Porträt bezöge, „denn der Ausdruck, der wichtigste Teil des historischen Ge-

---

[1]) Heinses Werke. Hrsgg. von Heinr. Laube, Lpzg. 1838, VIII, S. 224.

30

mäldes, wird um so viel natürlicher und kräftiger sein, je mehr wirkliche Physiognomie in den Gesichtern ist". Die Aufgabe eines guten Porträtisten sei vor allem „die Seele ganz in dem Körper zu sehen". Die deutlichste Sprache der Seele sei das Antlitz. Dieses müsse im Bilde dominieren und zwar derart, „daß weder in der Kleidung noch in den Nebensachen irgend etwas soll angebracht werden, wodurch das Aug' vorzüglich könnte gereizt werden".[1])

2. Charakteristische Porträts.

Lavater und Tischbein. ▣ ▣ ▣ ▣ ▣ ▣ ▣

Diese Anschauungen des schweizer Ästhetikers, von Lavater popularisiert, bildeten die Atmosphäre, die Tischbein in Zürich umgab. Lavater hatte noch ein besonderes Interesse, sich nach Porträtisten umzutun, brauchte er doch ständig Material, um seine „Physiognomischen Fragmente" auszubauen. Er war der eigentümlichen Ansicht, „daß sich aus einem guten Porträt mehr Kenntnis des Menschen schöpfen läßt, als aus der Natur, insofern sie (nämlich die Natur) sich nur in Momenten zeigt",[2]) und so war er stets auf der Suche nach Malern, die ihm solche Porträts lieferten. Wie er Chodowiecki, Lips und Trippel in seine Dienste nahm, so mühte er sich nun, als ihn Tischbein um seine Hilfe bat, auch diesen für seine Zwecke zu gewinnen, zumal ihm Tischbeins Charakterköpfe nach Raffaels Werken den trefflichen Physiognom

---

[1]) Bd. 2. Lpzg. 1774: Portrait. S. 918 ff.
[2]) Physiogn. Fragmente. Lpzg. u. Winterthur 1775 I, S. 85.

verrieten. „Ich hoffe, daß der einmal meiner Idee vom Porträt näher kommen wird, als alle, von denen ich Porträte sahe", schrieb er an. den Herzog von Weimar.[1])

Er wies ihm bei seinem Freunde, dem Diakonus Pfenninger, eine Wohnstatt an und kümmerte sich in väterlicher Weise um den verarmten Künstler. Für die freundschaftlichen Beziehungen, die sich rasch zwischen ihnen anbahnten, möge folgendes, bisher ungedrucktes Briefkärtchen Zeugnis geben.[2])

„Morgen, Liebster Tischbein, begräbt man den Vater (ein unbedeutend' Mann) einer meiner liebsten Freundinnen. Ein schwehrer Tag für Sie. — die Engelsseele. Ich falle so eben darauf, Ihr eine Freude zu machen. Darf ich Sie doch bitten, mir mit Bleystift und röthel ein Klein Etwas zu zeichnen, klein und bestimmt. Z. B. eine junge Frauensperson auf einem gedeckten Sarge gestützt; d. Sarg steht auf zwey Stühlen. Allenfalls könnte Ihr tröstender Mann neben Ihr stehen. Verzeihen Sie doch — nicht!
Z. den 11. May 1781."

Man darf annehmen, daß Tischbein diese gefühlvolle Zeichnung als einen Akt der Dankbarkeit gern zur Ausführung brachte.

Um den Künstler zum Charaktermaler auszubilden, gab sich Lavater selbst zum Modelle her, und mit wahrem Feuereifer nahm Tischbein dieses Gesicht in

---

[1]) 19. Mai 1781. Schriften d. Goetheges. XVI, S. 358.
[2]) D. Kärtchen ist im Bes. von Frau Oberstleutant Tischbein in Eutin.

Bildnis Lavaters   □   Oldenburg   □
Kreidezeichnung von 1781/82   Großherzogl. Privatbibliothek

Nach einer Originalaufnahme von Wilh. Oncken in Oldenburg

Angriff, das „nur ein Teil Körperliches und zehn-
tausend Teil Geistiges hat"[1]). Lavater, dem Muster
der Silhouetten folgend, die ihm zu psychologischen
Ausdeutungen vorzüglich geeignet schienen, setzte sich
ganz ins Profil, und so konnte Tischbein zeigen, was
er in Italien an genauer Umrißzeichnung gelernt hatte.
Auch daß er den Vierzigjährigen bedeutend verjüngte
und verschönte, scheint eine Erinnerung an römische
Lehren zu sein. Das Bild gelang ihm gut. Es ist lebendig
und von quattrocentistischer Straffheit. Zugleich von
einer Ehrlichkeit, die sich aller Rokokomätzchen ent-
schlagen hat. „Der Charakter scheint mir sprechend
und die Stellung gut gewählt zu sein",[2]) rühmte Goethe
dem Bilde nach. Nur fand es Goethe „schade, daß er
nicht Zeit gehabt hat, es weiter auszuführen". Darin
mißverstand er Tischbein und Lavater, denen das Bild
beendet schien mit dem Augenblicke, wo es das Charakteristische gab. An Zeit mangelte es beiden nicht,
denn Lavater saß dem Künstler noch öfters; zahlreiche
gezeichnete Bildnisse beweisen das. Diese Zeichnungen
sind in ihrer Frische und Ursprünglichkeit dem gemalten Bilde noch vorzuziehen.[3]) Besonders das Kreide-
porträt in der Privatbibliothek des Großherzogs von

---

[1]) Brief Tischb. an Lavater v. 1784. Abgdr. in U. Hegner Beitr.
z. Kenntnis Lavaters. Lpzg. 1836, S. 168.
[2]) Brief an Lav. in Goethes Werken, Weimar. Ausg. Abt. 4,
Bd. V, S. 215 f. — D. Portrait Lav. ist abgeb. i. d. Denkschr. z.
100. Wiederkehr s. Todestages (Zür. 1902) und noch einmal weit
schärfer i. d. Denkschr. z. 200jähr. Geburtst. Bodmers. Zür. 1900,
S. 109.
[3]) Eine Sepiazeichn. n. Lav. ist abgeb i. Könnickes Bilderatl.
l. c. S. 253.

Oldenburg ragt durch die außerordentliche Kraft der Strichführung hervor. Von holzschnittmäßiger Stärke ist dieser Strich; er scheint an den Werken Dürers geschult zu sein, von denen Lavater eine reiche Sammlung besaß. Hier wachsen die Haare schon wilder in die Schläfen hinein, und der freie Hals, den keine Binde mehr verengt, gibt dem Bilde etwas Naturwüchsiges.

Auf diesem Wege nun, zu einer immer kräftigeren Charakterisierung, ging die Entwicklung Tischbeins. Freilich, wo er einen Honoratioren der Stadt, den Bürgermeister Kilchsperger, zu malen hatte, mußte er sich Zwang auferlegen; die weiße Perücke und das schön gefaltete Jabot des alten Mannes hielten ihn in Schranken und gaben seiner Arbeit eine gewisse Ängstlichkeit. Hatte er aber ein Antlitz vor sich, wie das der Barbara Schultheß, Goethes Freundin Bäbe, hervorragend durch die herben, beinahe männlichen Züge, durch die häßliche, große Nase, so fühlte er sich zu Hause, betonte alle diese Eigentümlichkeiten noch besonders und ließ bloß an dem schön geformten Arme erkennen, daß er in Italien an der Quelle der Schönheit gesessen.[1]

„Seine Bilder sind alle sehr ähnlich, hart ohne Harmonie der Farben, mit über und über gleich zerteiltem Licht“, urteilte Salomon Geßner in einem Briefe an Graff über diese Porträts.[2] Lernte Tischbein in Italien Hände und Füße zeichnen, so deutete ihm

[1] Abgeb. i. Stich v. Leemann vor dem Neujahrsbl. der Zür. Stadtbibliothek 1888.
[2] Brief v. 10. Septbr. 1781, abgedr. b. O. Waser: Anton Graff, Zür. 1903. S. 18.

Lavater die Sprache der Augen, und noch in späteren Bildern kehren sie wieder, diese übergroßen, durch Glanzlichter betonten und vielsagenden Augen. Im Juli 1781 malte Tischbein den Bruder des Herzogs von Weimar, den Prinzen Konstantin, der sich auf der Durchreise in Zürich aufhielt. In einem Tage wurde das Bildnis fertig, und man darf annehmen, daß hier schon die Kürze der Zeit den Künstler dazu zwang, den charakteristischen Eindruck wiederzugeben.[1])

Noch weniger Zeit war ihm geschenkt, als ihm der greise Dichter Bodmer saß, zu dem ihn Lavater führte. In dreiviertel Stunden war das Bild beendet, und länger hätte der trotz seines Alters so bewegliche Mann auch nicht still gesessen. Dreiviertel Stunden hatte er auch zu dem Bildnis der Gemahlin Friedrichs II. gebraucht, aber aus welchen anderen Motiven! In Berlin befähigte ihn die Routine des Rokoko zu dieser Schnelligkeit; Haltung und Lächeln, Kleidung und Haartracht waren von der gesellschaftlichen Konvention vorgeschrieben; ein Porträt sah dem anderen ähnlich. Der Grund, der Tischbein in Zürich zum Schnellmaler machte, war die Begierde, immer stärker die momentanen Züge zu bannen. Gaben die Porträts Lavaters und Bäbes noch mehr das ruhende Gesicht, so wollte Tischbein nun das zu einer einzigen Bewegung zugespitzte Antlitz festhalten. Wie großen Nutzen sich Lavater von solchen Porträts versprach, wurde schon betont. Daß aber Lavaters ganze Kunstanschauung nach solchen Werken hinstrebte und darum Tischbein beeinflussen

---

[1]) Der Aufenthaltsort dieses Bildes blieb mir unbekannt. Vielleicht befindet es sich in einem der Schlösser der Umgegend Weimars.

mußte, bezeugt eine Briefstelle aus späteren Jahren. Als ihn 1787 Trippel, dem der Auftrag zuteil wurde, die Büste des Großen Friedrich zu meißeln, nach den Zügen des Königs fragte, antwortete Lavater: „Man muß sich ihn nicht überhaupt und unbedingt, sondern in einem möglichst bestimmten Momente denken. Auf die Wahl dieses Momentes kommt vieles an. Die Kunst fixiert, determiniert und individualisiert alles."[1]) Solche Momentaufnahmen sollte der Künstler von Menschen machen, und eine Momentaufnahme ist auch das Bodmerbild.

„Bodmer ist ein altes Greislein mit kahlem Vorhaupt und grauen Augenbrauen, die bis in die Augen hineinhängen, und eingefallenen Backen, zusammengeschrumpften Lippen, die kaum noch die Zähne bedeckten," schilderte ihn Heinse, als er 1780 durch Zürich reiste.[2]) So malte ihn Tischbein im September 1781, und so malte ihn Graff im Sommer des gleichen Jahres. Der Unterschied zwischen beiden Porträts ist in die Augen springend und zeigt deutlich die Wandlung des Geschmacks, die sich hier vollzogen hat. Graff (geb. 1736) ist noch ganz der Porträtist des bürgerlichen Rokoko. Er malte den dreiundachtzigjährigen Greis wie einen alten Spötter, mit sarkastischem Lächeln und blitzenden Augen. Trotz der saloppen Kleidung, die

---

[1]) Der Brief v. 9. Mai ist abgdr. b. C. A. Vogler: der Bildhauer A. Trippel. Schaffhausen 1892/93, S. 88. — Ein Aufsatz über die Stellung Lavaters zur bildenden Kunst würde noch mehr des Interessanten zutage fördern. So hat z. B. Lavater auch auf den Maler Heinr. Füssli eingewirkt, der seine Physiognomischen Fragmente ins Englische übertrug.

[2]) Heinses Werke. Hrsgg. v. Laube IX, S. 83.

mit der Liebe des Rokokomenschen für geschwungene Linien gemalt ist, geht ein fast gepflegter Zug durch das Ganze; man meint ordentlich die Gesellschaft zu sehen, die seine geistvollen Worte unterhalten. Zugleich spürt man die Überlegenheit des Malers gegenüber seinem Modell; der Charakter wird noch wie eine liebenswürdige Sonderlichkeit und nicht ohne Ironie betrachtet.[1]) Anders das Bodmerbild Tischbeins. Tischbein nimmt Bodmer ganz ernst, hält sich nicht für überlegen, sondern ist mit fast wissenschaftlichem Eifer dabei, die seltenen Züge nachzuschreiben. Die rechte, gekrümmte Hand ist zum Sprechen vorgebeugt, die Lippen bewegen sich, das stechende Auge blitzt ohne Liebenswürdigkeit unter den mächtigen Augenbrauen hervor. Rock und Halsbinde sind mit ein paar raschen Strichen angedeutet, nur die gekrümmte Hand ist mit besonderer Sorgfalt gemalt — eine letzte Reminiszenz an Italien — und erhält auch das meiste Licht im Bilde. Hat man bei Graff nur bemerkt, einen geistvollen, nicht einen häßlichen Menschen vor sich zu haben, so gibt Tischbein Bodmers Züge mit ungeschminktem Naturalismus. Wertet man dieses Bodmerbild nach künstlerischen Gesichtspunkten, so fällt das Urteil nicht sehr günstig aus. Ein Größerer als Tischbein hätte die Dämonie dieses Kopfes ganz anders herausgearbeitet, hätte wirklich einen starken Eindruck gegeben. Tischbein fehlte diese Größe. Die Trockenheit, die sich schon bei dem Bilde der Frau

---

[1]) Eine Abbildung des Graffschen Bodmerbildes i. J. Vogels Graffwerk, Lpzg. 1898, Taf. 21. Das Tischbeinsche Bodmerbild ist abgeb. i. d. Bodmerdenkschr. l. c. S. 119.

Holzapfel bemerkbar machte, hat auch hier seinen Flug gehemmt. Er gab dem Porträt eine impressionistische Technik, aber er wußte mit dieser Technik nicht viel zu beginnen. Wenn ihm Lavater nachrühmte: „Er hält das Mittel zwischen haarscharfer Zeichnung und unbestimmter genialischer Faselei"[1]), so ist dagegen zu bemerken, daß ihm die haarscharfe Zeichnung doch weit mehr lag, als die „genialische Faselei", zu der ihm das Genialische fehlte.

Sieht man dieses Bodmerbild aber vom kunsthistorischen Standpunkte an, so erhält es eine besondere Wichtigkeit. Denn es ist eines der Zeugnisse für die künstlerische Bewegung, die man, da sie mit der gleichzeitigen literarischen Bewegung dieselben Ziele verfolgt, als Sturm und Drang bezeichnen mag. In diesem Bilde steckt etwas von dem Ungestümen, alle Fesseln Sprengenden, das auch den literarischen Erzeugnissen des Sturmes und Dranges eigen ist, in diesem Bilde steht die Natur über allen Gesetzen der Schönheit, die Natur, die „ihre Werke in Liebe, Leben und Feuer und nicht mit Zirkel, Lineal und Nachäfferei hervorbringt",[2]) die Natur, von der auch Lavater meinte, daß sie „in allen Absichten höher und tiefer ist als die Kunst".[3])

Was an Kunstwerken des Sturmes und Dranges hervorgebracht wurde, ist noch zu wenig gesichtet, um es in Vergleich mit Tischbeins Werk zu bringen.

---

[1]) Brief an Goethe v. 17. April 1782, abgedr. i. d. Schr. d. Goetheges. XVI, S. 200 f.

[2]) Heinses Werke. Hrsgg. v. Laube VIII, S. 224.

[3]) Physiognom. Fragm. I, S. 85.

Doch beweisen schon die Porträts eines Edlinger (1741 bis 1819), besonders die seiner bayrischen Bauern, daß auch außerhalb der Schweiz solche naturalistischen Porträts gemalt wurden, die einen momentanen Eindruck mit impressionistischer Technik wiedergeben.

3. Liebe zur deutschen Geschichte.

Ein Merkmal des literarischen Sturmes und Dranges ist auch die Liebe zur alten deutschen Geschichte, besonders zum Mittelalter, eine Liebe, die wie ein Vorläufer der gleichnamigen romantischen Schwärmerei erscheint. Auch hier zeigt sich, wenn auch nur vereinzelt, eine parallele Bewegung in der bildenden Kunst, aber, wie es im 18. Jahrhundert gewöhnlich ist, unter dem Einflusse und in Abhängigkeit von der literarischen Bewegung.

Schon Tischbeins Kasseler Onkel, J. H. Tischbein, schuf, von seines Freundes Klopstocks Hermannschlacht inspiriert, 1768 ein lebensgroßes Bild aus der alten deutschen Geschichte, wohl das erste in dieser Art: „Die Trophäen Hermanns nach seinem Sieg über den Varus"[1]) und späterhin noch ähnliche Gemälde und Skizzen nach Klopstockschen Werken, und von

---

[1]) Näher beschrieben bei J. F. Engelschall: J. H. Tischbein. Nürnberg 1797, S. 97 ff. — Von Klopstocks Werken wurde auch Angelika Kauffmann z. deutschen Stoffen angeregt. Über Angelika schreibt Klopstock schon 1770 (28. August) an Gleim: Ich habe sie gebeten, sich als Thusnelda zu malen, nämlich einen Köcher an der Schulter, in Leinen mit Purpuraufschlägen gekleidet, die Arme fast ganz bloß, einen Feldblumenkranz mit etwas langem Eichenlaub untermischt auf dem Kopfe."

ihnen geht also wohl der erste Einfluß in dieser Richtung auf Wilhelm Tischbein aus. In der Schweiz waren durch Bodmers Wirkung die Wege bereits geebnet. Wie Bodmer die Schätze der altdeutschen Poesie zu heben begonnen, so hatte er schon seit langem seine Zeitgenossen ermahnt,

> „Daß sie die Taten sängen, die in deutschen Annalen
> „Glänzen, die Männer, die Deutschland, was dem Staate
> der Griechen
> „Philopoemen, Epaminondas und Aratos waren." [1)]

1775 hatte man dann dem schweizer Bildhauer Trippel den Auftrag gegeben, eine Allegorie auf die Schweiz mit dem Bildnisse Winkelrieds zu meiseln, und derselbe Trippel schuf 1776 nach der damals populären Geschichte Tells eine plastische Gruppe: Wilhelm Tell mit seinem Knaben.

Immerhin stand die künstlerische Behandlung nationaler Stoffe damals noch recht vereinzelt da, und es bleibt Tischbeins Verdienst, mit Wort und Tat nachdrücklich darauf hingewiesen zu haben. „Die römischen und griechischen [Geschichten] sind so genotzüchtigt, und in unserem Lande sind Geschichten vorgegangen, die ebenso malerisch wie die römischen, ebenso edel und für uns insbesondere," schrieb er in einem Briefe aus jener Zeit. [2)] Daß solche Gedanken damals noch etwas Neues an sich hatten, beweist der Streit, in den er um ihrethalben mit den Züricher Künstlern

---

[1)] Ged. Bodmers v. 1782 auf Tischb. Götzbild. Abgedr. b. v. Alten l. c. S. 25.

[2)] Brief an seinen Bruder Heinr. vom 14. Juli 1781, abgdr. b. v. Alten, S. 11.

Bildnis der Frau   Zürich   □
Barbara Schultheß (1781)   Familie Geßner-Ernst

geriet, „und ich glaube," schreibt Tischbein bei Besprechung dieses Streites an den Kriegsrat Merck, „in der deutschen [Geschichte] sind ebenso große und edle Vorfälle als in jener [der römischen und griechischen], nur unbekannter, und die alte deutsche Kleidung wird ebensoviel Effekt machen, als die römische und vielleicht noch mehr."[1])

In Ausführung dieser Theorien fertigte er eine fesselnde Federskizze der Schlacht bei Sempach und einige Studien zu einem Tellbilde.[2]) Hauptsächlich der Mangel an Zeit, wohl aber auch das Fehlen genügender Ausbildung ließen den Maler bei diesen Skizzen sich bescheiden, und erst die Bekanntschaft mit Goethe ermöglichte es ihm, ein ausgeführtes Bild mit nationalem Inhalt zu malen: den Götz von Berlichingen. Daß es nicht das einzige blieb, wird sein späteres Schaffen zeigen.

4. Anknüpfung an Goethe.

Abschied von Zürich. ▧ ▧ ▧ ▧ ▧ ▧

Wenn Wilhelm Tischbein seinen oben erwähnten Streit mit den schweizer Künstlern ausführlich seinem Gönner Merck beschrieb, so geschah dies nicht ohne Berechnung, hoffte er doch, auf diesem Umwege Goethe für sich zu interessieren, den er auf gleichem Wege wie sich selber vermutete. Was ihn dieses Interesse des Dichters suchen ließ, das war der lebhafte Wunsch,

---

[1]) Brief v. 23. Febr. 1782 i. Briefe a. u. v. Merck 1835, S. 518.
[2]) Diese Zeichnungen sind im Bes. der Familie Strack, Grunewald bei Berlin. — Eine Tellskizze: Tell hat seinem Sohne den Apfel v. Kopfe geschossen, hat auch Joh. Heinr. Tischbein gefertigt.

Zürich zu verlassen und sich in den Dienst eines Fürsten zu stellen, am liebsten des Herzogs von Weimar, um an dessen kunstfreundlichem Hofe zu leben, von dem ihm Lavater oft erzählt haben mag. Dieser Wunsch ist nicht bald begreiflich, bei der vorzüglichen Aufnahme, die Tischbein in Zürich gefunden hatte. Die Malergilde hatte ihn zu ihrem Mitglied gemacht, und von der bevorzugten Stellung, die er unter den Künstlern einnahm und die er nicht ohne gehöriges Selbstbewußtsein zur Schau trug, erinnert sich noch 1823 David Heß in einem Briefe an Tischbein. Darin heißt es von Wilhelm Tischbein und seinem zu Besuch weilenden Bruder Jakob: „Die beiden Herrn Gebrüder Tischbein, wenn sie en Gala in ihren Scharlachkleidern mit goldner Stickerei in Gesellschaft waren und so schön über Kunst und Wissenschaft sprachen, erschienen mir als Wesen höherer Art."[1]

Aber Tischbein hatte schon einmal auf äußeren Glanz verzichtet, als er sich von Berlin lossagte; nun war er gewillt, es auch ein zweites Mal zu tun. Wäre er ganz ein Jünger Lavaters geworden, er hätte sich nichts Schöneres erträumen können, als sein ganzes Leben lang die Krone der Schöpfung zu porträtieren. Aber der Drang zum Historienmaler, der ihn schon in Hamburg ergriffen hatte, erwachte hier von neuem und ließ ihn größere Aufgaben ersehnen. Noch eben hatte er, wohl auf Lavaters Bitte, den toten Ratschreiber Füßli im Sarge gezeichnet, doch mochte ein angeborenes Schönheitsgefühl ihn gerade vor solchen

---

[1] Aus einem ungedruckten Briefe im Bes. von Frau Oberstleutnant Tischbein in Eutin.

Aufgaben haben zurückschaudern lassen. Dieses Schönheitsgefühl erhob seinen Protest dagegen, „Porträts zu malen, so wie sie vorkommen, häßliche und garstige, schöne, dumme und kluge, so wie sie die Erde trägt,[1]) oder, wie er es bald darauf noch drastischer ausdrückte: „Die Kopfzeugsgesichter kann ich unmöglich länger malen, ich muß fort von hier.“[2]) Um diese Klagen zu verstehen, muß man sich noch vor Augen halten, daß er, dessen Ruf sich durch die Bildnisse Lavaters und Bodmers in Zürich rasch verbreitet hatte, von Porträtaufträgen geradezu überschüttet wurde.

Nur von einem kleinen Teil dieser Bilder wurden mir die heutigen Besitzer bekannt, das Meiste, darunter ein Porträt Salomon Geßners, bleibt noch zu finden. Ein Knabenporträt Tischbeins, das wohl den Sohn Lavaters darstellt, darf man vielleicht auf einem Aquarell von I. H. Lips aus dem Jahre 1789 wiederfinden. Dieses Aquarell[3]) stellt Lavater vor seinem Schreibtisch sitzend dar; über dem Schreibtisch hängt als Bild ein Knabenporträt, dessen Behandlung ganz an Tischbeinsche Kinderbilder erinnert. Der Knabe legt die linke Hand auf den rechten Arm, sein Blick ist nach oben gerichtet: eine ähnliche Stellung hat Tischbein dem Bilde der Frau Magdalena Schweitzer in Zürich gegeben, „mit gen Himmel blickenden blauen Augen, mit übereinander geschlagenen zierlichen Hän-

---

[1]) Brief an Merck v. 23. Febr. 1782, abgdr. i. Briefe an und von Merck 1835, S. 320.

[2]) Brief an Merck v. 2. April 1782, ebenda S. 326.

[3]) Im Bes. d. K. K. Fam.-Fideikommißbibliothek, Wien. Abgb. ist es u. a. in Vogt und Kochs Gesch. d. deutschen Lit. 2. Aufl. 2. Bd. Lpzg. u. Wien 1904, S. 266.

den," wie David Heß in dem schon erwähnten Briefe von 1823 erinnert.

Tischbeins Klagen verhallten nicht ungehört, sondern drangen nach seinem Wunsche durch Mercks Vermittlung an Goethes Ohren. Goethe hatte durch die Bildnisse Lavaters, Bodmers und des Prinzen Konstantin, die man ihm nach Weimar schickte, bereits eine vorteilhafte Meinung von dem Talente des Künstlers erhalten. Ihm gefiel an seinen Bildern vor allem das Männliche, das Goethe in jener Zeit besonders schätzte. Als nun Tischbein noch selbst an Goethe schrieb, in einem überaus bescheidenen und biederen Tone, der freilich nicht immer ganz redlich war, fühlte sich Goethe auch persönlich von ihm angemutet. Schließlich kam noch Goethes Abneigung gegen die Kasseler Akademie hinzu, deren „Kunst- und Altertumskram" ihn „hohl und eitel" dünkte,[1]) um den von ihr verschmähten Zögling nur um so lieber zu unterstützen.

Tischbein versuchte sich inzwischen Goethe noch mehr zu nähern durch den Vorschlag, den Götz von Berlichingen zu illustrieren. Dem Herzog Karl August erschien dieser Vorschlag als willkommene Gelegenheit, Goethe ein sinniges Geburtstagsgeschenk zu machen, und so gab er dem Künstler ohne Goethes Wissen den Auftrag, einige Szenen zu zeichnen. Tischbein, für deutsche Stoffe begeistert, ging freudig an die Arbeit und skizzierte gleich die erste Szene: Bauern, die mit den Bambergischen Reitern Händel

---

[1]) Brief Goethes an den Herzog von Gotha. Weimarer Ausgabe 4, Bd. V, S. 314.

anfangen, sodann aus dem fünften Akt die Szene auf Weislingens Schloß, da Weislingen Maria für einen Geist hält.[1])

Aber ihn reizte es, über diese Zeichnungen hinaus ein Bild zu malen, und er wählte dafür die Szene aus dem ersten Akt, da Götz den gefangenen Weislingen in seine Stube führt. Hier konnte er Menschen in einem Augenblicke geben, der nicht durch eine starke Handlung, sondern durch den Ausdruck bedeutend war. Auch scheinen ihn moralische Absichten bei der Wahl dieser Szene geleitet zu haben, denn daß die Kunst sittlich läuternd auf die Menschen wirken solle, war im Zürich jener Tage, unter dem Einflusse Sulzers und Lavaters, eine landläufige Anschauung. Als Vertreter des Bösen fungiert Weislingen, der mit schuldbewußter Miene vor sich hinstarrt, als Vertreter des Guten Götz von Berlichingen, dessen klares Auge vertrauensvoll zu dem einstigen Freunde blickt. Ein Reitersknecht, der mit scheu verwundertem Blicke Götzens Harnisch aufschnallt, sowie ein jüngerer Knecht, der voll Neugierde den Gefangenen betrachtet, helfen diese physiognomische Studie runden.

Das Bild, in seinen grauen, braunen und roten Tönen farbig geschmackvoll, macht dennoch wegen seiner ängstlichen Technik und der überstarken, beinahe komischen Charakteristik keinen erfreulichen Eindruck. Um ihm gerecht zu werden, muß man anderen als künstlerischen Gesichtspunkten Raum geben. Da ist vor allem der Ernst zu bewundern, mit

---

[1]) Beide Skizzen i. Bes. d. Goethehauses, Weimar.

dem Tischbein seine Aufgabe fast wissenschaftlich gelöst hat. Armbrust und Schwert sowie die Rüstungen sind nach sorgfältigen Studien im Züricher Zeughause gemalt; jeder Gegenstand in dem gotischen Gemache ist mit der Deutlichkeit gegeben, die Tischbein dem Studium der holländischen Malerei verdankte. Abgesehen von diesen Kleinigkeiten mußte sich Tischbein ganz auf eigene Füße stellen, und das erklärt auch seine Ängstlichkeit in der Technik. Er versagte es sich, den neuen Stoff mit alten Mitteln zu formen, denn gerade von der Routine wollte er sich ja befreien. So kam es, daß er, auch darin ein Stürmer und Dränger, glaubte, mit der Vergangenheit ganz brechen zu können, und aus eigener Kraft etwas Neues zu schaffen. War diese Kraft nicht genial, so war sie wenigstens ehrlich. Darum verteidigte Goethe dieses Bild gegen Karl August, der rasch ein paar Fehler fand: „Götz könnte, dünkt mich, besser auf seinen Füssen stehen. Das geknickte Knie ist nicht das eines alten Reiters.“[1] Aber Goethe zog sich das Menschliche vor und war erfreut, einen so „guten, edlen, freigesinnten Menschen“ daraus sprechen zu hören.[2]

Alle diese Vorgänge regten Goethe dazu an, sich tatkräftig für Tischbeins Weiterkommen zu verwenden, nicht aber darf man darin eine Neigung Goethes zu italienisierender und antikisierender Kunst erblicken, eine Anschauung, die Volbehr in seinem Buche:

---

[1] Briefe an u. v. Merck 1835, S. 339.
[2] Brief v. 1784 an d. Herzg. v. Gotha. Weim. Ausg. 4, Bd. VI, S. 265.

„Goethe und die bildende Kunst" vertritt.[1]) Sie be-
ruht darauf, in Tischbein von vornherein einen Klassizisten zu sehen, während diese Ausführungen gezeigt
haben wollen, wie sehr er bis zu seiner zweiten italienischen Reise in realistischen Bahnen wandelte. Die
Porträts eines Lavater und Bodmer hatten Goethe für
Tischbeins Kunst gewonnen, ein Beweis eher für den
entgegengesetzten Gedanken, daß Goethe 1782 dieser
Art von Bildern noch sehr zugänglich war. Auch bestand zunächst nicht die Absicht, den Künstler nach
Italien zu senden. Goethe wollte, da er Tischbein nicht
nach Weimar bringen konnte, ihn in das benachbarte
Gotha ziehen und wandte sich dieserhalb an Herzog
Ernst II. Dieser, ein Förderer der Künste und Wissen-
schaften, zeigte sich dem Plane unter der Bedingung
geneigt, daß Tischbein zu seiner völligen Ausbildung
vorerst nach Italien gehe. Tischbein, der noch vor
kurzem seinen Weggang von Italien bitter beklagt hatte,
wollte plötzlich nach Frankreich. Nicht, um die älteren
französischen Bilder zu studieren, oder gar die
neuesten, „die tollen; welche die französischen Maler
aus ihrem eigenen Muttersinne erfunden haben"[2]),
sondern die italienischen, „denn was nicht fest an der
Wand ist, haben die Italiener verkauft, und die besten
davon sollen in Frankreich sein". Der wahre Grund
war wohl der, daß ihm der Herzog jährlich nur 100 Du-

---

[1]) Leipzig 1895, S. 157.
[2]) Brief an den Herzog v. Gotha, abgedr. b. Beck: Ernst II.
I. c. S. 278 f. Vgl. z. d. abfälligen Beurteilung selbst die Meinung
des Bildhauers Schadow von dem „Gemein-Natürlichen der damaligen französischen Schule". (Aufs. u. Briefe brsgb. v. I. Friedländer,
2. Aufl., Straßburg 1890, S. 40.

katen aussetzte, mit denen er in Italien nicht meinte leben zu können, wohl aber in Frankreich, wo er nebenbei Porträts malen konnte. Sein Wunsch wurde nicht erfüllt; er mußte nach Italien und fügte sich auch darein. Vor seiner Abreise schickte er noch einige Bilder an die Ausstellung der Kasseler Akademie, darunter den Bodmer und einen echt deutschen Krieger im Helm, welche beide der Herzog von Gotha erwarb; dann packte er seine Habe und reiste endlich Oktober 1782 von Zürich ab.

IV. Der zweite römische Aufenthalt 1783—1787.

1. Die Reise nach Rom. ▫ ▫ ▫ ▫ ▫ ▫ ▫ ▫ ▫
Liebe zur Gotik. ▫ ▫ ▫ ▫ ▫ ▫ ▫ ▫ ▫ ▫ ▫ ▫ ▫ ▫ ▫

Wenn man Tischbeins Wirken seit dem Züricher Aufenthalt ins Auge faßt, so erkennt man, daß dieses eine Jahr entscheidend auf sein ganzes Leben gewirkt hat. Nicht daß es ihm völlig neue Anschauungen gab — diese sind Tischbeins eigenstes Gut — sondern es verlieh diesen Anschauungen eine Stärke, die sich bei allen künftigen Wandlungen Tischbeins geltend machte, und es ließ manche in ihm schlummernden Keime aufsprießen, die erst später zur Reife kommen sollten.

So scheint sich erst auf der Reise nach Italien ein Eindruck in ihm auszuwirken, den er schon in Zürich von Salomon Geßner empfangen hatte. Geßner lieferte gerade im Jahre 1781 50 kleine Schweizer Prospekte für den helvetischen Almanach, die wohl Tischbein dazu anregten, sich auf der Fahrt durch die Schweiz in die Alpenwelt zu versenken. Flüchtige Skizzen, meist mit Bleistift und nur die ausgeführteren mit der Feder gezeichnet, sind sie ohne künstlerische Bedeutung, doch haben sie später Goethe gefesselt, der sie sich in Rom geben ließ und wohl verwahrte.[1])

---

[1]) Noch heute sind sie, 62 an der Zahl, dem großen Publikum unzugänglich, im Goethehaus zu Weimar in einer Mappe mit der Aufschrift: Tischbein-Schweiz.

Eine dieser Skizzen ist von literarhistorischem Interesse. Man sieht auf ihr die Morgensonne durch die Nebel brechen und auf einem Wasserfall einen Regenbogen hervorzaubern.[1]) Es ist wahrscheinlich, daß Goethe dieser Skizze die erste Szenerie des zweiten Teiles der Fausttragödie entnommen hat. „Der Berge Gipfelriesen" und „der Alpe grüngesenkte Wiesen" bringen uns die Schweiz vor Augen, und von dem Regenbogen auf dem Wasserfalle heißt es:

> „Allein wie herrlich, diesem Sturm erspießend,
> Wölbt sich des bunten Bogens Wechseldauer,
> Bald rein gezeichnet, bald in Luft zerfließend,
> Umher verbreitend duftig kühle Schauer!
> Der spiegelt ab das menschliche Bestreben.
> Ihm sinne nach, und du begreifst genauer:
> Am farbigen Abglanz haben wir das Leben."[2])

Auf der Weiterreise machte Tischbein in Mailand Rast. Wenn man seine Aufzeichnungen über diesen Aufenthalt liest,[3]) so erhält man den Eindruck, daß er bei den gastfreundlichen Mailändern ein paar glückliche Wochen verlebt hat, die seinen Kenntnissen wie seinem Ansehen förderlich waren. Ganz anders klingt freilich der Bericht, den Heinse in seinem Italienischen Tagebuch[4]) unter dem 15. August 1783 darüber gibt: „Tischbein hat sich hier erbärmlich schlecht

---

[1]) Diese Skizze ist nicht in der Schweizer Mappe, sondern in einer anderen, die 44 Blatt enthält.

[2]) Morris. i. s. Aufs.: Gemälde und Bildwerke im Faust (i. d. Buche; Goethestudien 2. Aufl. Berlin 1902) erwähnt diese Zeichnung nicht.

[3]) Selbstbiogr. II, S. 1 ff.

[4]) Hrsgb. von C. Schüddekopf in der Neuen Rundschau 1905, S. 865.

und dumm als ein wahrer Simplizius aufgeführt. Er wollte Porträte hier malen und Geld verdienen und glaubte, sein Glück zu machen, wenn er den Graf Wilczek malte. Adressierte sich deswegen an einen seiner Bedienten und brachte es soweit bei seinem Herrn, daß er dessen Kammerdiener zur Probe malen durfte. Dies Porträt fiel aber so abscheulich schlecht aus, daß man ihm die Tür wies; Graf Wilczek sagte, was soll ich mich von so einem armseligen Buben malen lassen! schlecht war es von Tischbein, da er Geld genug hatte, und so etwas gar nicht brauchte. Bei Franchi wollte er in die Akademie gehen, sagte aber hernach, er könnte die Stubenhitze nicht vertragen und man spottete eigentlich über seine Zeichnungen. Beim Knoller[1]) wollte er das Komponieren lernen, weil er nur bisher Porträte gemalt hätte. Welche Einfaltspinselstreiche für einen, den Lavater und Goethe in Deutschland rühmen und preisen! Warum sich hier so prostituieren, und nicht gerad nach Rom zu seiner Bestimmung zu gehen!"

Dieser Bericht ist zu temperamentvoll, um nicht wenigstens übertrieben zu sein. Sonderbar ist nur, daß sich Heinse an diesen „Einfaltspinsel" bald darauf in Rom anschloß, sodaß Tischbein in einer Liste seiner Freunde notieren konnte: „Heinse, wohnte in Rom mir gegenüber und war mein gewöhnlicher Gesellschafter auf den Nachmittagsspaziergängen."[2]) Die

---

[1]) Martin Knoller aus Tirol, Schüler von Mengs.
[2]) Selbstbiogr. II, S. 248. — Das bislang noch nicht völlig veröffentlichte italienische Tagebuch Heinses von 1780—83 (i. Bes. d. Stadtbibl. Frankfurt a. M.) bringt wohl noch einiges über diesen Verkehr.

Bekanntschaft mit Heinse hat vielleicht der Maler Müller vermittelt, den Tischbein gleichfalls unter seinen einstigen Freunden aufzählt. Der Verkehr mit diesen beiden Stürmern und Drängern mag als ein weiterer Beleg dafür dienen, wie sehr sich Tischbein noch am Anfange seines italienischen Aufenthaltes ihren Kunstanschauungen verwandt fühlte.

Als ein Ausfluß dieser Anschauungen ist auch seine Verehrung für ein gotisches Bauwerk zu nehmen, mit der er seine Mailänder Erinnerungen einleitet. „Als ich in Mailand ankam, war mein erstes, daß ich nach dem Dome ging. Das ist ein heiliger Wald, von der Kunst aufgestellt, von Gottes Geiste bewohnt, mit Bäumen besetzt, aus deren Wurzeln schon die Äste an dem Stamme hinauflaufen, oben sich einander die Zweige reichen und als festes Gewölbe vor Sonne und Regen das Innere decken."[1] Der Vergleich eines gotischen Domes mit einem Walde scheint Goethe nachempfunden zu sein, der in seinem Aufsatze: Von deutscher Baukunst die Mauer des Straßburger Münsters gleich einem „hocherhabenen, weitverbreiteten Baume Gottes" aufsteigen läßt. Es liegt diesem wie Tischbeins Vergleich ein echter Sturm- und Dranggedanke zugrunde: auch der Baukunst ein Vorbild in der Natur zu geben und ihr damit eine religiöse Unterlage — denn die Natur galt als heilig — zu schaffen.

Wie ein klassizistisches Urteil über den Mailänder Dom lautete, dafür vergleiche man wiederum Goethe,

---

[1] Selbstbiogr. II, S. 3.

der sich 1788 in einem Aufsatze „Baukunst" darüber aussprach: „Leider suchten alle nordischen Kirchenverzierer ihre Größe nur in der multiplizierten Kleinheit. Wenige verstanden, diesen kleinlichen Formen unter sich ein Verhältnis zu geben; und dadurch wurden solche Ungeheuer wie der Dom zu Mailand, wo man einen ganzen Marmorberg mit ungeheuren Kosten versetzt und in die elendesten Formen gezwungen hat, ja noch täglich die armen Steine quält, um ein Werk fortzusetzen, das nie geendigt werden kann, weil der erfindungslose Unsinn, der es eingab, auch die Gewalt hatte, einen gleichsam unendlichen Plan zu bezeichnen."

2. Liebe zur frühitalienischen Kunst.

Von der Verehrung der frühitalienischen Baukunst war es nur ein Schritt zum Verständnis für frühitalienische Malerei, und Tischbein ist diesen Schritt auch gegangen. Hätte Goethe in den siebziger Jahren Italien besucht, er hätte vielleicht das gleiche getan. So aber kam er schon mit neuen Anschauungen nach Italien, und wenn er in Padua Mantegna bewunderte, so vergaß er nicht, ihn als Ausgangspunkt für eine noch größere Kunst, die der Hochrenaissance zu betrachten. Und diese Ansicht Goethes war auch die durchschnittliche des 18. Jahrhunderts. Man kannte wohl einzelne frühitalienische Maler, vor allem Giotto, Masaccio, Bellini und Perugino[1]), aber man faßte sie als Vorläufer und gab ihnen keinen eigenen Wert.

---

[1]) Vgl. d. histor. Schriften v. Mengs l. c.

In dieser besonderen Wertung frühitalienischer Kunst liegt nun das große Verdienst Tischbeins.

Schon Joh. Heinr. Meyer hat in seinem Aufsatze: „Neu-deutsche religiös-patriotische Kunst," der 1817 in „Kunst und Altertum" erschien [1]), auf dieses Verdienst aufmerksam gemacht. „Von unserem Tischbein, wofern wir nicht sehr irren, ist nun zu allererst größere Wertschätzung der älteren, vor Raffaels Zeit blühenden Maler ausgegangen. Dem Natürlichen, dem Einfachen hold, betrachtete er mit Vergnügen die wenigen in Rom vorhandenen Malereien des Perugino, Bellini und Mantegna, pries ihre Verdienste und spendete, vielleicht die Kunstgeschichte nicht gehörig beachtend, vielleicht nicht hinreichend mit derselben bekannt, ein allzu freigebiges Lob dem weniger geistreichen Pinturicchio, der mit seinen Werken so manche Wand überdeckt hat. Tischbein und seinen Freunden wurde bald auch die von Masaccio ausgemalte Kapelle in der Kirche St. Clemente bekannt." In neuerer Zeit hat dann Knackfuß in seiner deutschen Kunstgeschichte auf diese Liebe Tischbeins zum Quattrocento hingewiesen, [2]) und noch jüngst hat sie Camillo von Klenze in einer Besprechung des Buches von Helene Stöcker: „Zur Kunstanschauung des 18. Jahrhunderts" betont. [3]) Tischbein selbst hat sich in seinen Lebenserinnerungen über diese Neigung

---

[1]) Bd. I, H. 2, S. 5—62 und 133—162. Als Neudruck in „Kleine Schriften für Kunst" (Deutsche Litteraturdenkmale des 18.—19. Jhdts. Bd. 25, S. 97 ff.

[2]) Bd. II l. c. S. 386.

[3]) Ztschr. Euphorion, Bd. XIII, H. 1/2, S. 157. — Leider is diese Auffassung Klenzes i. s. Buche: „The Interpretation of Italy during the Last Two Centuries" Chicago 1907 nicht verwertet worden.

deutlich ausgesprochen. Da erzählt er, wie er sich in
jungen Jahren so gern mit den frühen, rohen Zeiten beschäftigt habe, „wo Völker aus bloßem Gefühl, in un-
gezügelter Leidenschaft kräftige Taten vollbringen . . .“
Erst späterhin merkte er, daß ihm das „Zarte, still-
gemütliche Schöne“ weit näher läge. „Wieviel mehr,“
fährt er fort, „wurde dies durch das Anschauen der
alten Heiligenbilder aus der Zeit der Wiederauflebung
der Kunst in Italien geweckt und gestärkt! In diesen
Bildern, deren man noch so viele in den alten Kirchen
Italiens findet und die in mancher Hinsicht mit den
altdeutschen Bildern in Verbindung stehen, gewahrt
man das echte, stille gemütliche Leben edler Wesen
ohne heftige Bewegung und ohne malerischen Prunk;
und deshalb ließ ich mir's besonders angelegen sein,
solche fleißig zu studieren. Da mich aber,“ so endet
dieser Absatz, „dabei immer der Wunsch beseelte,
Bilder zu fertigen, die meine guten Landsleute interessieren könnten, so suchte ich mir Gegenstände aus
der deutschen Geschichte und zeichnete verschiedene
Entwürfe.“[1])

Danach läge es nahe, die Zeit vor dem Konradinbilde, also das Jahr 1783, als die Entstehungszeit dieser
Neigung anzunehmen. Dem widerspricht aber die Tatsache, daß sich in den geplanten deutschen Bildern, vor
allem im Konradin, soviel leidenschaftliche Emphase
findet, daß wir sie unmöglich als Reaktion gegen das
Züricher Sturm- und Drangjahr nehmen können. Vielmehr ist es wahrscheinlich, daß gerade nach dem

---

[1]) Selbstbiogr. II, S. 36 ff.

Konradinbilde sich ein Hang zu stillerer Kunst bemerkbar machte, der sich auch in später zu besprechenden Werken deutlich kund gibt. So möchte etwa das Jahr 1785 am ehesten für das Erwachen seiner Liebe zur frühitalienischen Kunst in Anspruch zu nehmen sein. Auf keinen Fall darf man weiter als bis 1787 gehen, da Tischbein in diesem Jahre Rom verließ; und so setzt Harnack die Anfänge des Interesses für die Kunst der Primitiven zu spät an, wenn er das Jahr 1790 nennt, in dem Bury von Mantegna, Lips von Fiesole und Heinrich Meyer von Giovanni Bellini gefesselt wurden. Diese drei Künstler sind vielmehr die Freunde Tischbeins, von denen Meyer spricht und stehen hierin unter seinem Einfluß.[1])

Aber das Interesse für frühitalienische Kunst ist auch von Wilhelm Tischbein nicht als erstem gehegt worden. Schon 1752 schrieb Josuah Reynolds in sein römisches Tagebuch: „Die alten gotischen Meister, wie wir sie nennen, verdienen die Beachtung der Studierenden mehr, als manche späteren Künstler. Schlichtheit und Wahrheit findet man öfters bei den alten Meistern, die dem großen Zeitalter der Malerei vorangingen, als zu jenem Zeitalter selbst und seitdem sicherlich noch seltener."[2])

Tischbein hat diese Aufzeichnungen nicht gekannt und ist unabhängig von Reynolds zu den Frühitalienern gekommen, doch aus demselben Motiv, wie

---

[1]) Vgl. O. Harnack: Deutsches Kunstleben in Rom. Weimar 1896, S. 109.

[2]) Zit. nach J. Armstrong: J. Reynolds, Deutsche Ausgabe, München 1907, S. 23.

Konradin von Schwaben und Friedrich von Österreich
vernehmen beim Schachspiel ihr Todesurteil (1783/84)

Gotha □
Gemälde-Galerie

Reynolds, aus Liebe zum Natürlichen. In diesem Hervorheben der Natürlichkeit und Schlichtheit der frühitalienischen Kunst liegt wohl der wesentliche Unterschied zu der mehr religiösen Verehrung der Primitiven in der Zeit der Romantik. Auch darin stimmen Reynolds und Tischbein überein, daß sie aus ihrer Neigung keine Konsequenzen gezogen haben. Reynolds kopierte in Italien nicht die Frühitaliener, sondern Rubens, Rembrandt und Tizian; und auch in Tischbeins Kopien finden sich, mit einer einzigen Ausnahme, einer frühitalienischen Verkündigung[1]), nur Werke der Hochrenaissance und des Barock. Nur in einer Beziehung ist Tischbein einen Schritt über Reynolds hinausgegangen: er sammelte frühitalienische Bilder. Wenn man die Kunstschätze Tischbeins betrachtet, die heut im Besitz der Oldenburger Galerie sind, so sucht man freilich vergeblich nach ihnen. Doch erwähnt I. I. Gerning, der Tischbein in Neapel besuchte, unter dessen Bildern ausdrücklich „eine Folge von kleinen Gemälden aus den ersten Zeiten der Ölmalerei, wovon die ältesten noch mit griechischen Buchstaben versehen sind".[2]) Jedenfalls wurden sie des Ankaufes an die Oldenburger Galerie nicht für wert erachtet und gingen in den Besitz privater Sammler über.

Tischbeins Liebe zur frühitalienischen Kunst scheint noch in späteren Jahren Anregungen gegeben zu haben. Um 1800 nämlich war Tischbein in Göttingen der Lehrer der Brüder Riepenhausen. Diese Riepen-

---

[1]) Im Bes. d. Großherzgl. Privatbibl. Oldenburg.
[2]) Reise durch Oestreich und Italien. Frankfurt a. M. 1802, S. 121.

hausen gingen 1806 nach Rom und begeisterten sich für die Kunst des Angelico da Fiesole.[1]) Vielleicht hat sie Tischbein beeinflußt; auf jeden Fall ist er in diesem Punkte als ein Vorläufer der romantischen Bewegung anzusehen, deren erste Spuren, wie Heinr. Meyer einmal bemerkt, sich „in übermäßiger Wertschätzung alter, noch roher Produkte der deutschen, niederländischen, florentinischen und anderer Malerschulen" äußerten.[2])

3. Das Konradinbild.

Gefühlsüberschwang. ⧉ ⧉ ⧉

Am 24. Januar 1783 hatte Wilhelm Tischbein die Stadt Rom zum zweiten Male betreten. In die erste Zeit fielen ein paar Porträtaufträge, darunter das Doppelbildnis des Domherrn Meyer und des Kammerrates Franckenberg. Da er auch ein Bildnis des Kaisers Josef II. gemalt haben soll,[3]) so kann dies nur im Anfang des Jahres 1784 geschehen sein, in dem Josef II. in Rom weilte. Der Kaiser lernte damals Angelika Kauffmann kennen; wahrscheinlich hat sie die Bekanntschaft vermittelt. Tischbein selbst erwähnt in seiner Selbstbiographie nichts davon. Aber Porträts konnten ihn schon in Zürich nicht mehr befriedigen, um wie viel weniger in Rom. „Auf Porträts hält man in Rom nicht sehr; die höhere Malerei verdrängt diesen unter-

---

[1]) Vgl. Harnack l. c., S. 179.
[2]) Besprechung d. Werkes d. Brüder Riepenhausen: Leben und Tod der heil. Genoveva.
[3]) Vgl. d. Aufs.: La quaderia dei principi di Avellino in der Zeitschr. Napoli nobilissima 1902, S. 173.

geordneten Zweig," notierte sich einige Jahre später Karl Philipp Moritz.[1])

In Erinnerung an Gessners arkadische Landschaften malte er auf einem Ausfluge nach Frascati die berühmte Baumgruppe, die durch je eine Pinie, Zypresse und Eiche gebildet wird. Er setzte sie in eine duftige Abendbeleuchtung, belebte sie rechts mit einem flötenspielenden Hirten, links gleichfalls mit einem Hirten, neben dem ein Hund sitzt, und schuf so ein sehr idyllisches Bildchen.[2]) Dieselbe Baumgruppe verwandte Tischbein noch einmal zu einer seiner schönsten Radierungen (A. 147), von der auch Goethe einen Abzug besaß. Aber die Landschaft stand in Rom in keinem besseren Rufe, als das Porträt. „Die Landschaft sieht man hier so subaltern an," schrieb Goethe im Februar 1787 an Frau von Stein, „man mag kaum daran denken." Hier drängte wirklich alles zum Historienbilde, der einzigen Gattung, die sich eines großen Ansehens erfreute.

Nach einigem Zögern wählte er sich zum Vorwurf: Konradin von Schwaben und Friedrich von Österreich vernehmen beim Schachspiel ihr Todesurteil. Schon in Zürich hatte Tischbein dieses Bild skizziert; nun wollte er es in lebensgroßen Figuren ausführen. Der Stoff war reizvoll genug durch den physiognomischen Gehalt, den man ihm geben konnte; der Eindruck eines Todesurteils auf zwei Menschengesichter. „Ich habe diese Historie gewählt," schrieb er dem Herzog von

---

[1]) Reisen eines Deutschen in Italien in den Jahren 1786 bis 1788, Berlin 1792/93. Bd. III, S. 58.
[2]) Abgb. i. illustr. Kat. der Berliner Jahrh. Ausstlg. München 1906. Bd. II, S. 557.

Gotha, . . . „weil diese Vorstellung Gelegenheit gibt, natürliche Köpfe und Gesichter zu malen, mehr als wenn ich ein Sujet aus einem Dichter genommen hätte, wo gemeiniglich idealische Köpfe zugehören."[1]) Die Köpfe wurden als die Hauptsache zu allererst gemalt. Dem Herzog von Flandern sollte man das Mitleid für das Schicksal der jungen Prinzen recht ansehen; Konradin bekam einen Zug des Trotzes über das ihm zugefügte Unrecht. Friedrich von Österreich dachte er sich, wie eine Skizze zeigt,[2]) mit aufgestütztem Arm dasitzend, die Hand noch im Nachdenken über das Schachspiel das linke Auge bedeckend, doch so, daß durch den gespreizten kleinen Finger ein forschender Blick dringt: ein Motiv, würdig des Schülers von Lavater. Später änderte er diese Stelle und gab sein Antlitz frei, das nun einen nur mühsam bekämpften Unmut aussprach. Als Kostüm für die Prinzen wählte er rotsamtene, deutsche Kleider, die er in Nürnberg gesehen, und auch für den Herzog von Flandern dachte er sich, in der Skizze wenigstens, ein deutsches Gewand aus.

Soweit wäre alles gut gewesen, und hätte Tischbein auf diesem Wege weiter gearbeitet, er hätte ein schlichtes Historienbild geschaffen, wie den Götz, das durch seine Sachlichkeit gefesselt hätte. Nun aber begannen die römischen Lehren auf ihn zu wirken. Der Richter Bari, der das Urteil geschmiedet hatte, sollte anfangs ein Ausbund von Häßlichkeit sein. Da schwirrten ihm Grundsätze ums Ohr, daß in einem

---

[1]) Abgdr. b. Beck: Ernst II. l. c. S. 288 f.
[2]) Im Bes. d. Verfassers.

60

Kunstwerke alles schön sein müsse, daß die Alten selbst die Furien nicht häßlich gebildet hätten[1]), und um keinen Fehler zu machen, setzte er dem Richter den Kopf des Kaisers Vitellius auf. Bei der Bekleidung fiel ihm die Beobachtung von Mengs ein, „daß die Alten die Draperie nicht als eine Hauptsache, sondern als eine Beigabe angesehen hatten, um das Nackte zu bedecken, aber nicht zu verbergen."[2]) Also malte er das Modell zum Konradin vorerst unbekleidet, dann ließ er es ein Gewand von dünnem Zeuge anziehen, schließlich steckte er es in das deutsche Kleid. Aber diese deutsche Tracht ward auch nur den Prinzen und zwei hinteren Soldaten zuteil. Alle übrigen wurden nach Raffaels Vorbild in Phantasiegewänder gehüllt. Der Mengssche Eklektizismus feierte dabei Triumphe. Es ist zu unerfreulich, nachzuweisen, woher er sich in Stellung und Gewändern die Vorbilder zusammengesucht hat; ein Teil wird von Raffaels Transfiguration bestritten.

Daß aus diesem Stilgemisch kein gutes Bild entstehen konnte, war vorauszusehen. Der erste Eindruck, den man in der Gothaer Galerie davon empfängt, ist in der Tat sehr gering.[3]) Man wird von dem übermäßigen Ausdruck der Gesichter, dem Pathos der Gesten, der schlechten Komposition und den grellen Farben sehr unangenehm berührt. Erst beim längeren

---

[1]) Vgl. Winckelmann: Gesch. der Kunst des Altertums Buch V, Kap. 2, § 19.

[2]) Hinterl. Schriften l. c. I, S. 241.

[3]) Abgb. ist das Werk in Knackfuß' deutscher Kunstgesch. II, S. 387.

Hinsehen, besonders wenn man die Gruppe der Prinzen für sich betrachtet, wird der Eindruck günstiger. Hat man sich über die große Pose hinweggesetzt, mit der Konradin eine kleine Schachfigur hält und über das aufdringliche Rot ihrer Kleider, so spricht aus diesen beiden erregten Gestalten etwas Zwingendes.

Trotz seiner vielen Schwächen machte das Bild in Rom großes Aufsehen; Künstler und Kenner waren einig in seinem Lobe; Jacques Louis David, der gerade in Rom weilte, um den Schwur der Horatier zu malen, sprach ihm seine Anerkennung aus, und den alten Battoni, den Protektor aller jungen Talente, erinnerte es sogar in dem Kopfe Friedrichs von Österreich an den unübertrefflichen Annibale Caracci. Der russische Staatsrat v. Wiesen wollte das Bild erwerben, mußte sich jedoch mit einer kleinen Kopie begnügen, die ihn hundert Dukaten kostete; eine zweite Kopie in Wasserfarben führt Meyer als eins der ersten Beispiele von Aquarellmalerei zur Darstellung historischer Themen an.[1]) Das Original ging an den Herzog von Gotha und fand auch in Deutschland nur Bewunderer. Goethe nannte es „gut koloriert, durchsichtig, wahr und angenehm",[2]) und demgemäß war auch Meyer des Lobes voll, nur wagte er dagegen zu bemerken, „daß beide Hauptfiguren, die, rotgekleidet, das Auge locken, auf der Seite im Bilde sitzen".[3])

Diese Bewunderung ist nur aus der Zeit zu verstehen. Man lobte die Wiederaufnahme von Elementen

---

[1]) Winckelmann u. s. Jahrh. Tübingen 1805, S. 336.
[2]) Im Philipp Hackert.
[3]) Winckelmann u. s. Jahrh. S. 308.

der Renaissance und Antike; daß diese nur äußerlich waren und mühsam zusammengestückelt, beachtete man nicht. Auch sah man hier, was das dekorative Spätbarock zur Seltenheit gemacht hatte, daß die Gestalten aussprachen, was sie in der Seele fühlten. War diese Aussprache übermäßig gefühlvoll, so galt das nur als besonderer Vorzug. Battoni z. B., um ein Merkmal dieses Gefühlsüberschwanges zu geben, der in jener Zeit gang und gäbe war, konnte, wie er Tischbein selbst erzählte, ein Bild, auf dem Coriolan seiner Mutter begegnet, nicht zu Ende malen, weil er vom Stoffe zu sehr erschüttert wurde. „Indem Battoni dieses sagte, wurde er so gerührt, daß er bitterlich an zu weinen fing, und da mir die Tränen auch gerade nicht angefroren sind, weinten wir beide vor dem Bilde."[1]) Um ein Beispiel auch aus der englischen Malerei zu nennen, sei eines Werkes gedacht, das Josuah Reynolds zehn Jahre vor dem Konradin (1773) malte: Ugolino und seine Kinder im Hungerturme.[2]) Die Ähnlichkeit mit dem Bilde Tischbeins ist auffallend. Das Thema ist in beiden Werken dem Mittelalter entnommen, in Kniefiguren behandelt und im Kerker spielend. Durch die schmucklosen Gefängnismauern treten die Gestalten nur um so deutlicher hervor, denn auf sie soll sich das Interesse konzentrieren; und hier finden wir wieder jenes larmoyante Gefühlspathos, das uns heut so fern liegt.[3]) Die Sehnsucht

---

[1]) Selbstbiogr. II, S. 48.
[2]) In d. Gemäldegal. v. Knole Park Grafschaft Kent.
[3]) Auch des Amerikaners Benj. West: „Tod d. Generals Wolfe in der Schlacht v. Quebeck" gehört in diese Reihe.

nach Ausdruck war eben so stark, daß sie in der ersten Zeit unbedingt das gewöhnliche Maß überschreiten mußte.

Der Herzog von Gotha war mit dem Konradinbilde außerordentlich zufrieden. Er drückte dem Künstler durch den Hofrat Reiffenstein sein Wohlgefallen aus und gab dem Werke einen Ehrenplatz im Arbeitszimmer des Schlosses Friedenstein. Tischbein hätte über diese Gnade erfreut sein müssen; daß er es nicht war, sondern mit Schmerzen sah, wie sein Bild dem Publikum entzogen wurde, ist ein Symptom der Zeit. Auch David war nicht mehr zufrieden damit, daß ein Werk im Privatbesitze verschwinde; um eine Entschädigung dafür zu haben, plante er, es wenigstens vorher genügend bekannt zu machen. „Warum sollte nicht auch der Maler," hörte ihn Tischbein sagen, „wie der Musikus und Dichter, sein Werk ausstellen, damit jeder für ein Geringes es sehen könnte."[1]) David ließ diesen Worten alsbald die Tat folgen, und seine Horatier wurden der Clou des Pariser Salons von 1785, während Tischbein seinen Groll herunterschlucken mußte. In solchen Worten und Gefühlen bereitete sich allmählich ein neuer Geist vor, der das lang gewohnte Verhältnis zwischen Künstlern und Fürsten lockerte und die Kunst aus ihrem exklusiven Milieu heraus in die breite Menge trug. Tischbein suchte, was ihm an Ruhm verloren ging, an Geld wieder einzubringen. Er bat den Herzog öfters um Zuschüsse, die ihm auch, einmal sogar

---

[1]) Zit. n. Tischb. Selbstbiogr. I. S. 58.

durch Goethes Vermittlung, gewährt wurden. Sein Gehalt wurde auf 400 Taler erhöht. Doch lagen in dieser materiellen Zuspitzung des Verhältnisses schon die Keime des Bruches.[1])

4. Vom Charakteristischen zum Schönen.

Noch zwei Pläne zu Bildern beschäftigten Tischbein in den ersten römischen Jahren, beides Musterstücke für physiognomische Darstellungskunst. Das eine sollte Luther im Disput mit seinen Gegnern darstellen, ein Motiv, das im katholischen Rom natürlich Anstoß erregt hätte und wohl schon darum Skizze blieb. Das andere sollte Brutus geben, da er seinen Söhnen die Liste der Verschworenen vor Augen hält, auf der auch ihre Namen stehen. Es ist ein Thema aus der römischen Geschichte, wie Davids: Schwur der Horatier, Drouais': Marius im Gefängnis, des Württembergers Hetsch: Tullia, die über den Leichnam ihres Vaters fährt, und viele andere Stoffe mehr, die in jenen Jahren in Rom gemalt wurden, Stoffe, in denen sich die Liebe der Zeit zum Heroischen, zum Pathetischen, zum Charakteristischen genug tun konnte.

Doch hatte der Sturm und Drang, auf römischen Boden versetzt, ein anderes Gesicht, als etwa in Deutschland oder in der Schweiz. Seitdem hier Mengs und Winckelmann ihre Lehren von der Schönheit verkündet hatten, war sie das oberste Gesetz der Kunst,

---

[1]) Tischbein stellt i. s. Selbstbiogr. II, S. 54 die Sache so dar, als hätte ihm der Herzog schon die erste Bitte um Zuschuß abgeschlagen und ihm daraufhin den Abschied gegeben. Er wird durch Briefe Goethes u. d. Herzogs von Gotha widerlegt.

und so hoch auch die Wellen des Charakteristischen gingen, sie mußten sich schließlich am Strande der Schönheit brechen. Das war der Einfluß, dem jeder unterworfen ward, der sich längere Zeit in Rom auf- hielt: daß das Charakteristische eine, wenn auch noch so hohe, Vorstufe des Schönen sei, oder, wie es Hein- rich Meyer einmal aussprach: „Die Schönheit schließt den Charakter keineswegs aus, sondern sie veredelt denselben.“[1]) Ein Alois Hirt, der das Charakteristische immer weiter als Ideal ansah, wurde als Kuriosum betrachtet.

Diesem Zwange, der von Rom ausging, ward nun auch Tischbein unterworfen. Schon im Konradinbilde hatten ihn ästhetische Bedenken davor gewarnt, dem Charakteristischen das letzte Wort zu lassen; auf diesem Wege, über das Charakteristische hinaus zum Schönen, ging nun seine weitere Entwicklung. Im Goetz und im Konradin, im Luther und im Brutus hatte der Mann, als der beste Träger eines ausge- prägten Charakters, die einzige Rolle gespielt; nun suchte er, um sich von dem Charakteristischen zu befreien, Stoffe, in denen Frauen vorkamen, hervor- stechend weniger durch die Eigenart des Kopfes, als die Schönheit des Körpers. Hatte er im Konradin noch Kniefiguren gegeben, so wollte er nun, von Davids Horatiern beeinflußt, nur mehr Menschen in ganzer Figur malen. Zwei Frauengestalten beschäftigten ihn zugleich. Da war die Frau von großem Charakter, Sophonisbe. Zunächst reizte ihn immer noch der Ge- sichtsausdruck. Sie sollte stolz, ja mit Verachtung

---

[1]) Winckelmann u. s. Jahrh., S. 366.

auf ihren römischen Überwinder blicken. Dann erst richtete er sein Augenmerk auf den Körper. Der Römer Laelius mußte in voller Rüstung erscheinen; daran ließ sich nichts ändern. Aber die Tochter Hasdrubals brauchte nicht ganz bekleidet zu sein. „Sophonisbe", so beschreibt er sie in seiner Selbstbiographie, „eine hohe Gestalt, steigt eben aus dem Bette; das Bett- tuch zurückgeschlagen; ihr nachlässig umgeworfenes Gewand sinkt an der aufgerichteten Figur lang her- unter und läßt hier und da die Form ihrer schönen Glieder sehen."[1]) Bei der Darstellung des Syphax, Sophonisbes Gemahl, ging er noch einen Schritt weiter; er malte ihn gänzlich unbekleidet an ihrer Seite sitzend. Das Bild ist verschollen; über seinen künstlerischen Wert haben wir ein scharfes Wort der kritischen Her- zogin Amalia, die das Bild in Italien sah: „Das Kolorit ist schlecht, in den Physiognomien kein Ausdruck, so klumpig."[2])

Mit diesem Bilde scheint Tischbein den Einfluß, den er, wie so viele damals in Rom lebenden Maler, von David erhielt, dem Künstler wiedergegeben zu haben. David hat den Entwurf zu dem Sophonisbe- bilde gewiß 1784 in Tischbeins Atelier betrachtet und vielleicht in Erinnerung daran 1788 sein Werk: „Les Amours de Paris et d'Hélène" geschaffen, das jetzt im Louvre hängt. Auch hier sitzt ein unbekleideter Mann auf einem Bette neben einem stehenden, nur leicht bekleideten Weibe. Die ebenfalls etwas „klum- pige" Komposition der Gruppe sowie der schwärme-

---

[1]) II, S. 43.
[2]) Abgdr. b. v. Alten l. c. S. 47.

rische Gesichtsausdruck lassen sofort an Tischbeinsche Bilder aus der Antike denken, während sie Davids strafferer Kunst im allgemeinen fern liegen.

Die andere Frauengestalt, die Tischbein beschäftigte, war Helena, das Weib von sanftem, verführerischem Charakter. Das Bild, für den Herzog von Gotha bestimmt, ist gleichfalls verschollen, und nur Beschreibungen geben uns eine Vorstellung davon. Paris und Hektor treten in Helenas Frauengemach, beide wohl in voller Rüstung. Aber Helena, ganz wie Sophonisbe, konnte sich überraschen lassen, brauchte nicht voll bekleidet zu sein. Dazu war sie von reizvollen Gespielinnen umgeben, Stoff genug, um sich mehr an Körpern als an Köpfen zu erproben. Das Bild sollte, nach Tischbeins eigenem Urteil, den Konradin um so viel übertreffen, „als der griechische Stil von demjenigen des mittleren Zeitalters verschieden ist".[1]) Diese Worte zeigen, was Tischbein mehr und mehr zum Wegweiser nach der Schönheit diente: die Antike. In jener Zeit machte er die genauere Bekanntschaft des Steinschneiders Pichler, in dessen Atelier er antike Köpfe nach Gipsabgüssen kopierte, in jener Zeit malte er sich selbst, dem Brauche des 18. Jahrhunderts folgend, in Ausübung seines Berufes, umgeben nicht von Bildwerken der Renaissance, sondern der Antike;[2]) in jener Zeit schließlich war es, daß Goethe nach Italien kam und ihn noch fester dem „griechischen Stil" verband.

[1]) Brief an den Herzog v. Gotha v. 21. Oktbr. 1786. Abgdr. b. Beck: Ernst II. 1. c. S. 299 f.

[2]) Abgb. b. J. Vogel: Aus Goethes röm. Tagen. Lpzg. 1905.

68

V. Goethe und Tischbein.

1. Äußerer Verkehr. ▣ ▣

Tischbein hatte den in der Schweiz begonnenen schriftlichen Verkehr mit Goethe in Rom weiterge-sponnen; er unterrichtete ihn von seinen Fortschritten, schickte ihm Proben seines Könnens und Kopien, und als er von Goethes mineralogischen Studien hörte, sandte er ihm 1786 eine Sammlung antiker Bausteine, die den Dichter nicht mehr daheim traf: er war nach Italien geflüchtet.

Noch am Abend seiner Ankunft in Rom, am 29. Oktober 1786, ließ Goethe Tischbein zu sich rufen und sprach mit ihm bis spät in die Nacht hinein. Sein erster Eindruck bestätigte das Urteil, das er aus Briefen und Bildern bereits gewonnen: „Ein köstlich guter Mensch"[1]), während Tischbein in ihm mehr den großen Mann sah, „der das Wellengetöse des menschlichen Gemüts in seiner Tiefe kennt"[2]). Schon am nächsten Tage zog Goethe in Tischbeins Haus am Korso, gegenüber dem Palazzo Rondanini, das Tisch-bein seit 1786, zugleich mit Bury und Schütz, bewohnte, und von nun an lebten sie völlig gemeinsam. Zwar scharten sich noch manche anderen Künstler und

---

[1]) Schr. d. Goethe-Ges. Bd. II, Weimar 1886, S. 213.
[2]) Brief Tischbeins an Goethe v. 14. Mai 1821, abgdr. ebenda, S. 406.

Kunstverständige um Goethe, aber Tischbein nahm doch sogleich eine Ausnahmestellung ein. Er war es, der Goethe auf seinen Wanderungen durch das alte und neue Rom begleitete, und er war auch der geeignete Mann dazu. Schon auf der holländischen Reise hatte er sein angeborenes Verständnis für bildende Kunst geübt und dabei niemals so gefühlsmäßig geurteilt, wie einstens Goethe, sondern stets seine klare Vernunft sprechen lassen. Sein Talent, Künstler voneinander zu scheiden und Kunstwerke zu analysieren, kam ihm nun gut zu statten, und daß er es nicht aufdringlich geltend machte, sondern dem Geführten Muße zum Betrachten ließ, dafür haben wir das Zeugnis des gebildeten Domherrn Meyer, der sich in Rom gleichfalls Tischbeins Führung anvertraute.[1]) Wie in der Kunst, so war Tischbein, dank seiner Erziehung, in der Natur zu Hause, und so konnte er auch für alle Schönheiten der römischen Landschaft Goethes Cicerone bleiben. Kam dann der Abend, so versammelte sich ein kleiner Kreis in Tischbeins Hause. Da wurde Sulzers Allgemeine Theorie der schönen Künste gelesen oder man legte einander die Blätter vor, die man am Tage gezeichnet hatte. Tischbein hatte viel zu zeigen. Er war in jenen Tagen von besonderer Beweglichkeit; Goethes offener Blick für alles Fesselnde des umgebenden Lebens war auf ihn übergesprungen. Karl Philipp Moritz hatte den Arm gebrochen und wurde vom Chirurgen untersucht: Tischbein prägte sich diese Begebenheit ein und zeichnete sie mit der Feder;

---

[1]) Vgl. F. J. L. Meyer: Darstellungen aus Italien, Berlin 1792, S. 154. Bereits von Vogel: Aus Goethes röm. Tagen zit.

Goethe suchte eines Abends mit wachsender Unruhe ein zweites Kissen: Tischbein hielt diese drollige Szene fest[1]); ein Mord ward begangen und eine Gerichtsperson nahm den Tatbestand auf; im Minervatempel wurden Schweine geschlachtet[2]): alles das bot Tischbein Stoff zu Skizzen.

Es sind flüchtige Federzeichnungen, doch nicht mit kecken, andeutenden Strichen gemacht, niemals aufs Malerische bedacht, sondern in ununterbrochener Umrißlinie gezeichnet. Die Anschauung vom reinen Kontour, durch die Antike gewonnen, machte sich auch hier noch geltend. Im Februar 1787 begann Goethe unter Tischbeins Aufsicht zu zeichnen.

2. Geistige Beziehungen. ▫ ▫
Goethes und Tischbeins Kunstanschauungen.

So oft man auch die römischen Beziehungen Goethes zu Tischbein behandelt hat,[3]) man hat sich auf die Schilderung dieses oben skizzierten Verkehrs beschränkt. Zwar hat man anerkannt, daß dieser Verkehr zu einer intimen Freundschaft gedieh, aber man

---

[1]) Diese beiden Skizzen sind abgeb. in den Aufs. v. J. Vogel: Römische Goethebildnisse (Lpz. Ill. Ztg. 25. Dez. 1902), die erstere noch einmal b. Vogel: Aus Goethes röm. Tagen. Die Originale der röm. Zeichnungen sind in einer Mappe des Goethehauses, Weimar.

[2]) Vgl. Goethes Aufs.: Tischbeins Zeichnungen des Ammazements der Schweine i. Rom.

[3]) Aufs. über Goethe u. Tischbein:
a) C. Schiller, d. Hrsg. d. Selbstbiogr., i. Herrigs Arch. f. d. Stud. d. neueren Sprachen u. Literat. Bd. 31, S. 277 ff.
b) Düntzer, i. Stuttgart. Morgenbl. 1862, No. 45/46.
c) Robert König, i. d. Ztschr. Daheim 1883, No. 40 (oberflächlich).

hat die Motive, die zu dieser Freundschaft führten, in einer Aufzeigung gegenseitiger Sympathien für genügend geklärt erachtet. Nun bestätigen zwar einzelne Worte Goethes diese Ansicht, wie: „Und nicht genug kann ich sagen, was Tischbein ein guter und natürlich verständiger Mensch ist",[1]) oder: „So einen reinen, guten und doch so klugen ausgebildeten Menschen hab' ich kaum gesehen .... In seinem Umgange beleb' ich mich aufs neue; es ist eine Lust, sich mit ihm über alle Gegenstände zu unterhalten, Natur und Kunst mit ihm zu betrachten und zu genießen",[2]) aber neben solchen nur lobenden Worten stehen andere von solch überschwänglichem Dankgefühle gegen Tischbein, daß sie uns nötigen, das Verhältnis Goethes zu dem Künstler weit tiefer zu erfassen.

Goethe findet, daß er in Tischbeins Gesellschaft „dreifach lebe", er bekennt sich zu dem Satze: „Das Stärkste, was mich in Italien hält, ist Tischbein; ich werde nie, und wenn auch mein Schicksal wäre, das schöne Land zum zweitenmal zu besuchen, so viel in so kurzer Zeit lernen können, als jetzt in Gesellschaft dieses ausgebildeten, erfahrenen, feinen, richtigen, mir mit Leib und Seele anhängenden Mannes. Jch sage nicht, wie es mir schuppenweise von den Augen fällt. Wer in der Nacht steckte, hält die Dämmerung schon für Tag und einen grauen Tag für helle, was ist's aber, wenn die Sonne aufgeht?"[3]); und er spricht sich schließlich in noch deutlicherer Form darüber aus:

[1]) Brief v. 7. Nov. 1786 an Frau v. Stein.
[2]) Brief v. 12. Dez. an Karl August.
[3]) Ebenda.

„Von Tischbein kann ich lernen, er nicht von mir, und was in mir sich macht, das ist in ihm schon geworden. Desto mehr freut es mich, wenn ich auf Spuren komme, die er für die richtigen erkennt."[1]

Hier wird ein Fingerzeig gegeben, auf welchen Bahnen sich die Untersuchung über das Verhältnis Goethes zu Tischbein bewegen muß; es ist nachzuprüfen, worin Tischbein in seiner Entwicklung dem Dichter vorausgeeilt war, und was auf Grund dieser schnelleren Entwicklung Goethe Bedeutendes von ihm lernen konnte. Diese Untersuchung ist dadurch erschwert, daß es an eindeutigen Mitteilungen fehlt; Goethe hat sich auf die oben erwähnten Andeutungen beschränkt, und Tischbein gedenkt Goethes in seiner Selbstbiographie erst, als er die gemeinsame Reise nach Neapel beschreibt. Der Grund zu Tischbeins Verschwiegenheit liegt nicht darin, daß er sich der Rolle, die er in dieser Freundschaft später gespielt, geschämt hätte; eher darf man annehmen, daß er eine detaillierte Darstellung geplant, aber nicht zur Ausführung gebracht hat. So haben wir nicht einmal Kenntnis davon, auf welches Gebiet sich Goethes Dankesworte beziehen, doch ist nach allem, was wir von der Wirkung des italienischen Aufenthaltes auf Goethe wissen, zu entnehmen, daß es sich um die Kunstanschauungen handelt. In den Kunstanschauungen, das beweisen die Aufsätze, die er nach der Rückkehr aus Italien schrieb, hat sich in Goethe eine durchgreifende Wandlung vollzogen. Wohl spielen auch ethische Gesichtspunkte

---

[1] Brief v. 25. Januar 1787.

mit, denn auch in sittlicher Beziehung war die Reise dem Dichter eine Erleuchtung, und Tischbein — das lassen schon die vielen Aussprüche über seinen vortrefflichen Charakter erkennen — war auch hierin auf den Dichter nicht ohne Einfluß, aber sie treten hinter den ästhetischen Beziehungen zurück.

Wer die Entwicklung der Kunstanschauungen Goethes und Tischbeins vergleicht, dem fällt sofort die große Ähnlichkeit der beiden auf, eine Ähnlichkeit, auf die Goethe anspielt, wenn er später einmal im Gespräche zu Voß über Tischbein äußert: „Nie einander gesehn, in ganz verschiedenen Verhältnissen gebildet und doch so übereinstimmend."[1]) Wie Tischbein hatte Goethe die holländische Malerei und die Antike mit Rokokoaugen gesehen, dann einer stärkeren, leidenschaftlicheren Kunst gehuldigt, die ihr Zentrum nicht in Regeln und Maßen, sondern im Gefühl habe; daraus war seine Liebe für die Gotik und für Dürer entsprungen.[2]) Allmählich hatte er auch diese Ansicht des Sturmes und Dranges — nicht geändert, aber doch gemildert. Der Maßstab der Kunst lag nicht mehr allein in der Willkür ihres Schöpfers, sondern auch in den Dingen selbst; sie stellten Forderungen an den Künstler, verlangten charakteristisch gegeben zu werden. Aber worin lag das Charakteristische? Konnte es nicht jeder in etwas anderem sehen, so daß doch noch der Willkür Tür und Tor geöffnet seien? Ließe sich kein Gesetz finden, das die Freiheit des Künstlers be-

---

[1]) Goethes Gespräche, hrsg. v. Biedermann. Bd. X, Lpzg. 1896, S. 218.

[2]) Vgl. dazu Volbehr: Goethe u. d. bildende Kunst.

74

schränkte und die Forderungen der zu bildenden Gegenstände unzweideutig präzisierte? Diese Fragen mögen Goethe vor seiner Reise nach Italien beschäftigt haben, und auch in Tischbein gingen sie um, als er vier Jahre vor Goethe das zweite Mal nach Italien ging.

Wir sahen, wie die Schönheit Tischbeins Konradin und die folgenden Bilder veränderte, indem sie den Maler zwang, vom Charakteristischen einen Tribut an sie abzugeben. Aber worin lag die Schönheit; nur im Gefallen des Beschauers? Ein Brief, den Tischbein im Dezember 1785 an Merck schrieb, führt uns der Lösung dieser Frage entgegen. Tischbein beklagt da den Niedergang der Malerei: „Man hat nichts gesehen, als kleine angenehme Bildchen, die nur fürs Auge gemacht waren und weiter nichts bedeuteten, weder Sinn noch Verstand war darin; oder man hat fast immer Landschaften gemacht, wo auch nichts ist als ein Baum, ein blauer Berg und was noch mehr dazu gehört, einen Maler zu zeigen, der weder Wahl noch Verstand hat."[1]

Eine neue Forderung wird hier aufgestellt; die Werke der Kunst sollten nicht nur gefallen, sondern auch bedeuten.

Das Bedeutende nun, nach diesem Briefe zu urteilen, sah Tischbein noch vornehmlich im Stoffe, sodaß einzelne Gegenstände, wie eben ein Baum oder ein Berg, für ewig davon ausgeschlossen blieben. Bei dieser Anschauung konnte er nicht lange verharren, denn wie wäre es sonst möglich, daß er weiter manche Gegenstände des gemeinen Lebens, wie Bettler oder

---

[1] Brief a. u. v. Merck 1833, S. 465.

Tiere malte? Er mußte das Bedeutende allen Gegenständen zuteil werden lassen; es durfte also nicht im Gegenstande selbst liegen, sondern in seiner Darstellung. Wie er sich diese Darstellung dachte, das deutet bereits eine Briefstelle aus Tischbeins erstem Aufenthalt in Italien an. Er teilt seinem Gönner Merck mit, daß er Hunde nach der Anatomie gezeichnet habe, und fügt dazu die Erklärung: „Wenn man weiß, woraus ein Hund besteht, aus wieviel Knochen; die Hauptsehnen und dicksten Muskeln darin kennt, so kann man leicht einen nach der Natur zeichnen; ohne das verzeichnet man sich leicht."[1]) Dieser Gedanke war in Zürich in den Hintergrund gerückt worden, denn Lavater hatte, bei aller wissenschaftlichen Physiognomik, den Künstler doch mehr zum schnellen Erfassen des äußeren Eindrucks, zur „genialischen Faselei", ermuntert. Aber man darf annehmen, daß er bei dem Verblassen der Züricher Eindrücke wieder in ihm auftauchte und nun immer weitere Kreise zog. Leider fehlt es an schriftlichen Zeugnissen aus dieser Zeit, und so muß man zur näheren Darstellung seiner reifen Kunstanschauung hauptsächlich die Ausdrücke der später entstandenen Selbstbiographie zu Rate ziehen, aber diese Aussprüche enthalten nur eine Erweiterung, keine Veränderung der schon um 1780 gefaßten Meinung.

Danach müsse der Künstler die Gegenstände, wolle er sie bedeutend geben, nicht nur von außen betrachten, sondern wie ein Naturforscher in ihrem inneren Bau

---

[1]) Briefe a. u. v. Merck 1835, S. 518.

erkennen. In diesem Sinne spricht er von Dürer, den zu lieben er niemals aufhörte: „Der schrieb das Gesicht mit seinen Formen und Farben dahin, wie er es vor sich hatte; er kannte den Bau des Kopfes und dessen Muskeln, die Knochen, die Knorpeln, die angespannte Haut darüber und die fleischigen Teile, die straffen und die, welche häutig hängen; um die Schläfe glaubte man den Puls unter der Haut schlagen zu sehen. Ein Mann von klarer Erkenntnis und von durchdringendem Geiste, das war Dürer."[1]) Der Künstler ist also ein wissenschaftlicher Mensch, und die Kunst nichts anderes, als angewandte Wissenschaft. Sie ist ein Weg, genaue Kenntnis von den Dingen zu übermitteln, und darum zu Lehrzwecken geeignet. Die Kunst als Lehrmeisterin, das wird nun ein Lieblingsgedanke, den Tischbein immer wieder variiert. „Wie unterrichtend ist doch die Malerei für Welt- und Menschenkenntnis!"[2]) schreibt er im Gedanken an holländische Bilder, und seine Schätzung des Vatikans verdichtet sich in den Worten: „Der Vatikan ist eine lehrreiche Schule für den Geist; vielleicht die größte in der Welt."[3])

Nun muß man sich wohl hüten, diese Lehrtätigkeit der Kunst allzu pedantisch zu nehmen. Man täte damit Tischbein wie der Kunstanschauung des achtzehnten Jahrhunderts Unrecht. Tischbein erweiterte den Begriff des Lehrens so sehr, daß z. B. die gesamte holländische Kunst darin aufging. „Man schätzt die holländische Malerei und ihre Werke, weil sie die

---

[1]) Selbstbiogr. I, S. 147.
[2]) Ebenda I, S. 107.
[3]) Ebenda I, S. 167.

Natur so treu nachahmten, und tadelt zugleich, daß sie ihre Kunst oft an geringe Sachen verschwendeten. Wer jedoch nur diese treue Nachahmung der Natur und den Fleiß rühmt, mit welchem sie ihre Bilder ausführten, und wem dies nur das Einzige ist, das ihn anzieht, der hat ihre Werke nur oberflächlich betrachtet und den Geist und die Seelenwirkung unbeachtet gelassen."[1])

Nun war auch eine Definition der Schönheit gefunden; sie stand nicht mehr im Gegensatz zum Charakteristischen, sondern sie war das Charakteristische selbst, nur durfte man das Charakteristische eines Gegenstandes nicht mehr in seinen äußeren Merkmalen, sondern in seiner inneren Wesensart erblicken. Ein Reisender, der sich mit Tischbein in Neapel darüber unterhielt, hat aus seinem Munde den Satz vernommen: „Also könnte man Schönheit die eigenste Einheit und unvermischte Eigenheit eines jeden Wesens nach Absonderung alles ihm nicht anpassenden Falschen nennen."[2])

Vergleichen wir dazu Goethes Kunstanschauung nach seiner Rückkehr aus Italien, die sein Aufsatz vom Jahre 1788: „Einfache Nachahmung der Natur, Manier, Stil" wiedergibt. Heinrich von Stein, in seinem Büchlein: Goethe und Schiller. Beiträge zur Ästhetik der deutschen Klassiker,[3]) skizziert den Inhalt dieses Aufsatzes mit knappen, klaren Worten: „Nachahmung

[1]) Ebenda I, S. 111.
[2]) J. J. Gerning: Reise durch Österreich und Italien. 1. c., S. 115.
[3]) Leipzig, Reclam No. 3090, S. 28 f.

der Natur und Stil verhalten sich zueinander wie Anfang und Ende eines Weges. In der Mitte zwischen beiden liegt die Manier, dies Wort „in einem hohen und respektablen Sinne genommen". Hat nämlich ein Künstler in langer, emsiger Arbeit mit treuem Sinne sich an die Natur gehalten, so wird er dazu gelangen, mit den so erlernten Formen, wie mit einem Eigentum, mit einiger Freiheit zu schalten. Er wird sich aus diesen der Natur abgelernten Formen eine Sprache bilden und sie zum Ausdruck seiner innerlich gehegten Eigenart verwenden. Er wird, je nachdem diese Eigenart beschaffen ist, möglicherweise etwas sehr Bedeutendes in einer solchen Sprache vorzubringen haben. Dennoch aber gibt es nach Goethe noch ein Drittes, Höheres in der Kunst, eben den Stil; er entsteht durch Einblick in die Eigenschaften der Gegenstände, durch Überblick über die Erscheinungen; hier verliert sich der Künstlergeist in das Objekt, um diesem dadurch eine Fülle des Sinnes und Gehaltes und eine sonst nie gehörte Sprache zu verleihen."

Es ist dieselbe Anschauung, die Tischbein vertritt: was Goethe Stil nennt, heißt bei Tischbein Schönheit. Ganz wie bei Tischbein muß bei Goethe der Künstler die Gegenstände gleichsam von innen heraus betrachten, denn der Stil ruht „auf den tiefsten Grundfesten der Erkenntnis, auf dem Wesen der Dinge, insofern uns erlaubt ist, es in sichtbaren und greiflichen Gestalten zu erkennen". Das Wesen der Dinge ist Goethe in der Kunst dasselbe, wie in der Natur: kein metaphysischer Begriff, sondern das Bildungsgesetz der Dinge.

Vergegenwärtigen wir uns nun noch einmal Goethes Worte: „Von Tischbein kann ich lernen, er nicht von mir, und was in mir sich macht, das ist in ihm schon geworden. Desto mehr freut es mich, wenn ich auf Spuren komme, die er für die richtigen erkennt," so ist der Beweis geschlossen, der immer nur ein Wahrscheinlichkeitsbeweis bleiben kann, für die These, daß Goethe in den eben erwähnten Kunstanschauungen von Tischbein befruchtet wurde und daß sich seine Dankesworte auf diese Befruchtung beziehen. Sie mag durch Unterhaltungen erfolgt sein, nicht zum wenigsten auch dadurch, daß Goethe in Tischbein das erste Mal einen Künstler vor Augen sah, der zugleich ein gründlicher Kenner der Natur war, und diese Naturkenntnis nicht als ein gesondertes Gebiet betrieb, sondern zur Grundlage seines Schaffens machte. An ihn denkt daher wohl auch Goethe, wenn er in seiner 1798 erschienenen Einleitung zu den Propyläen schreibt: „Wie gut bildet ein Kenner der Naturgeschichte, der zugleich Zeichner ist, die Gegenstände nach, indem er das Wichtige und Bedeutende der Teile, woraus der Charakter des Ganzen entspringt, einsieht und den Nachdruck darauf legt!"

Goethes Aufsatz: „Einfache Nachahmung der Natur, Manier, Stil" scheint dann wieder rückbezüglich auf Tischbeins Kunst gewirkt zu haben. Als Beispiel zur Darstellung der drei künstlerischen Methoden: Nachahmung der Natur, Manier und Stil wählt Goethe Blumen und Früchte. Nachdem er gezeigt hat, wie der Maler durch sorgfältige Beobachtung der Natur nahe zu kommen bemüht ist, wie aber bald die Wahl

Stilleben   Hamburg, Kunsthalle

Nach einer Originalaufnahme von Wilh. Oncken in Oldenburg

der schönsten Blumen und Früchte sowie der günstigsten Beleuchtung ihn zur Manier führt, geleitet er den Künstler auf seinem Wege allmählich zum Stil: „Es ist offenbar, daß ein solcher Künstler nur desto größer und entschiedener werden muß, wenn er zu seinem Talente noch ein unterrichteter Botaniker ist; wenn er von der Wurzel an den Einfluß der verschiedenen Teile auf das Gedeihen und das Wachstum der Pflanze, ihre Bestimmung und wechselseitigen Wirkungen erkennt, wenn er die sukzessive Entwickelung der Blätter, Blumen, Befruchtung, Frucht und des neuen Keimes einsiehet und überdenkt. . . . In diesem Sinne würde man sagen können, er habe sich einen Stil gebildet." Blumen und Früchte hat nun auch Tischbein gemalt, einige wohl schon in Italien, die meisten erst in Hamburg und Eutin. Da finden sich Äpfel und Birnen, Feigen und Pfirsiche, Tulpen und Rosen, Kaktus und Kornähren. Die Art der Darstellung ist eine allzu wörtliche Befolgung der Goetheschen Forderung. Malte er z. B. Birnen, so suchte er alle Sorten auf seinem Bilde zu vereinigen, auch brachte er jede in eine andere Lage, um alle ihre Teile deutlich zu zeigen; in den Vordergrund legte er besonders noch einige Birnenkerne. Malte er Tulpen, so ließ er alle Farben vertreten sein; einige malte er fest geschlossen, andere halb, andere ganz geöffnet, um die verschiedenen Epochen ihres Wachstums darzutun. Jede Frucht und jede Blume wurde mit größter Genauigkeit, ohne Rücksicht auf malerische Unterordnung, herausgearbeitet; der Hintergrund blieb neutral, gewöhnlich braun, zuweilen tiefschwarz.

Diese Stilleben, die nur dem Unterricht in der Botanik zu dienen scheinen, sind gleichwohl von künstlerischem Werte. Die Modellierung — besonders des Äpfelbildes in der Hamburger Kunsthalle[1]) — ist vortrefflich, die Farben sind frisch, und durch den neutralen Hintergrund wird zuweilen ein dekorativer Reiz erzeugt. So wird man für die Pedanterie der Darstellung wenigstens durch künstlerische Qualitäten entschädigt.

Die schönste Frucht des gemeinsamen Verkehrs war das lebensgroße Bildnis Goethes, das Tischbein 1786 in Rom begann.

3. Das Bildnis Goethes.

Im Dezember 1786 faßte Tischbein den Plan, ein Bildnis seines Freundes zu schaffen. Wie er bei seinem Konradinbilde zuerst die Köpfe zeichnete, so scheint er auch hier den Kopf des Dichters vor allem anderen lebensgroß skizziert zu haben. Es spricht viel dafür, diese erste Skizze in einer Aquarellzeichnung zu sehen, die verschollen und nur in photographischer Nachbildung erhalten ist.[2]) Als Original Tischbeins dokumentiert sie sich vermöge der Abweichungen vom Kopfe des fertigen Bildes; diese Abweichungen sind zugleich derart, daß sie die Skizze, obgleich sie aus bisher unerklärtem Grunde die Jahreszahl 1795 trägt,

---

[1]) Abgeb. i. illustr. Kat. d. Berl. Jahrhdt.-Ausst. Bd. II, S. 556.
[2]) Über diese Vermutung vgl. Vogel: Aus Goethes römischen Tagen S. 293 f. Dort eine Abb. d. Photographie, ferner bei Zarncke, Tafel II, No. 5.

als Vorstudie kennzeichnen. So fehlen der Hutkrempe noch die tiefen Schatten, während ein deutlicher Kontour der unter dem Hute hervorstehenden Perücke vorhanden ist, der später als störend beseitigt wurde. Vogel vermutet, daß sich auf diese Skizze ein Brief Tischbeins an Lavater bezieht, in dem er ein gezeichnetes Porträt des Dichters verspricht.[1]) Da Tischbein in dem gleichen Briefe mitteilt, daß er ein lebensgroßes Bildnis Goethes begonnen habe, so ist es sehr plausibel, wenn wir uns vorstellen, daß Tischbein die erste Skizze dazu sogleich für seinen Schweizer Freund zurückgelegt hat.

Wohl als vorbereitenden Entwurf für die Komposition des Bildes warf Tischbein sodann die rohe Tuschzeichnung hin, die sich Goethe behielt. Ende Dezember war ein ausführlicher Entwurf geschaffen,[2]) und Tischbein ging an die Ausführung. Um den großen Wurf des Mantels zu erzielen, ließ er sich ein kleines Tonmodell des Körpers fertigen, um das er ein Tuch drapierte. Goethe hat wohl in seiner 1797 geschriebenen Notiz mit dem Titel: „Vorteile, die ein junger Maler haben könnte, der sich zuerst bei einem Bildhauer in die Lehre gäbe", an Tischbeins Tonmodell gedacht, wenn er dem Maler rät, er sollte „sich selbst

---

[1]) Brief v. 9. Dez. 1786. Schr. der Goethe-Ges. XVI, S. 364.
[2]) Vielleicht ist dieser Entwurf in einen farbigen Karton mit überlebensgroßen Figuren zu sehen, den die Tochter Tischbeins, die spätere Geheime Kirchenrätin Wallroth, laut freundl. Mitteilung von Herrn Professor Rich. Foerster (Breslau), besaß. Doch kann es auch eine Kopie von Tischbein oder einem andern gewesen sein. Wo sich dieser Karton jetzt befindet, ließ sich trotz eifriger Nachforschungen nicht feststellen.

die feststehenden Figuren von Ton modellieren, um
seine Gewänder darüber zu legen und sein Bild dar-
nach auszuführen". Diese Art, nach plastischen Figuren
zu malen, war, seitdem Mengs die Vermutung ausgesprochen hatte, Raffael habe seine Ideen vorerst
in Wachs modelliert,[1]) in Rom gang und gäbe, und
es bleibt eins der Verdienste Carstens, mit dieser
Tradition gebrochen zu haben.

Im Februar 1787 mußte die Arbeit unterbrochen
werden, da Goethe und Tischbein nach Neapel reisten.
Im Juni des gleichen Jahres wurde sie wieder aufgenommen und noch am Ende dieses Monats so weit
gefördert, daß der Maler Strack eine ausführliche Beschreibung des Bildes an Merck senden konnte, die
im Märzheft des deutschen Merkur von 1786 erschien.
Dieser Beschreibung entspricht eine kleine Aquarellkopie, die nach der Tradition von F. Bury, H. Meyer
und G. Schütz hergestellt wurde.[2]) Jedenfalls hat
Goethe diese Kopie gewünscht, als Tischbein Anfang
Juli allein nach Neapel ging und das Bildnis mit sich
nahm, um es dort zu beenden. Künstlerisch minder-
wertig, ist sie nur darum von Interesse, weil sie eine
Entwicklungsphase des Bildes festhält. Die Hiero-
glyphen, die auf dem linken Quaderbruchstücke stehen,
fielen später fort; ferner erlitten die Landschaft des
Hintergrundes sowie die antiken Werke des Mittel-
grundes einige Veränderungen. Besonders bemerkenswert ist, daß Goethes Hut auf der Kopie noch nicht

---

[1]) Mengs l. c. I, S. 133.
[2]) Abgb. in Könnickes Bilderatlas l. c., S. 284; noch einmal
klein b. Zarncke, Tafel II, No. 10.

84

so viel Haar verdeckt, wie auf dem fertigen Bilde; auch ist das Perückenhafte noch beibehalten, wenn auch nicht mehr so stark, wie auf der Aquarellskizze des Kopfes. Es lassen sich also ganz ungezwungen Fäden von der Kopfskizze zur Kopie und von da zum Bilde ziehen, ein Beweis mehr, daß die Aquarellzeichnung des Kopfes als Original Tischbeins und als Vorstudie zu nehmen ist.

In Neapel wurde das Bildnis fertig und Tischbein verkaufte es, einer Notiz Rollets zufolge,[1]) an den schwäbischen Kaufmann Heigelin. Dieses Heigelin geschieht sowohl in Tischbeins Selbstbiographie wie in Goethes „Philipp Hackert" Erwähnung. Er war dänischer Konsul in Neaepl und Tischbeins Freund, mit dem er 1799 bei der Eroberung Neapels, wohl unter Zurücklassung des großen Bildes, nach Livorno floh. Aus dem Nachlasse seines Sohnes erwarb es der Frankfurter Bankier Karl Meyer Freiherr v. Rotschild in den vierziger Jahren; 1887 ging es als Geschenk an das Städelsche Institut.[2])

Der Eindruck, den man dort von dem Bilde empfängt, ist sehr stark und wird vermutlich immer stärker werden. Denn was zunächst befremdet, die große Pose in der Haltung, die das Rein-Menschliche an Goethe in den Hintergrund drängt, das wird uns später um so selbstverständlicher erscheinen, je mehr

---

[1]) Die Goethebildnisse, Wien 1883, S. 75.
[2]) Das Bild ist zahlreich vervielfältigt worden, am besten in der Heliogravüre der Berliner Photogr. Ges. Farbig hat es jüngst der E. A. Seemannsche Verlag in Leipzig unter: „Die Galerien Europas" herausgegeben.

wir Goethe als Idee erfassen werden. Und darin liegt das Erstaunliche an Tischbeins Arbeit, daß er, seiner Zeit vorgreifend, Goethe mit den Empfindungen einer künftigen Epoche betrachtet hat.

Wer die Entstehungszeit dieses Bildes nicht kennt, möchte glauben, daß es gar nicht zu Lebzeiten des Dichters gemalt worden ist, sondern viele Jahre nach seinem Tode, mit den vergrößernden Augen des rein-geistigen Zurückschauens, so viel Idealisches, Zeit-loses ist ihm gegeben. Aber Tischbein sah auch Goethe mit solchen Augen an, nennt er den Dichter doch einmal „ein Kleinod für die Welt".[1])

Eben diese idealbildende Kraft können wir noch an manchen anderen Porträts des späten 18. und be-ginnenden 19. Jahrhunderts bewundern, an Davids und Canovas Napoleon, oder, um noch ein deutsches Bild zu nennen, an dem großzügigen, wundervollen Porträt der Amateurmalerin Margaret Counteß Lucan (gest. 1814), das Angelika Kauffmann wohl in London malte.[2]) Diese Werke beweisen, mit welchen Renais-sancegefühlen diese Zeit wieder Menschen empfunden hat. Nicht mehr der bloße Kopf, sondern die ganze Gestalt nur kann den Menschen wiedergeben, dessen Größe nicht in der besonderen Entwicklung eines Teiles, sondern in der Harmonie aller Teile liegt.

Als ein Porträt des 18. Jahrhunderts zeigt sich das Goethebild auch in anderer Hinsicht. Es gibt den Helden nicht im Zimmer, sondern in einer Landschaft,

---

[1]) Selbstbiogr. II, S. 88.
[2]) Collection of Earl Spencer at Althorp. Abgeb. in der eng-lischen Zeitschr. The Connoisseur. Juliheft 1902 z. S. 164.

in der römischen Campagna. Von England ging die Erneuerung dieses schon in der Renaissance geübten Brauches aus, von dem Lande, in dem der Ruf nach Natürlichkeit am lautesten erscholl. Vergleicht man die Art, wie im Goethebilde ein Mensch in der Natur ruht, mit der eines Renaissancebildes gleichen Themas, etwa der ruhenden Venus des Giorgione, so erkennt man, wie das Naturgefühl im 18. Jahrhundert sich gewandelt hat. Wenn Goethe auch den Vordergrund des Bildes einnimmt, so ist doch nicht die Natur als Hintergrund dazu gemalt, sondern sie umgibt ihn, nimmt ihn wie ihren Sohn auf, und der Dichter empfindet sie im gleichen Rhythmus seiner selbst.[1]) Ein bewußter Zusammenhang waltet zwischen Mensch und Natur. Auch die Bauwerke, die den Boden decken, sind nicht als besondere Architektur, sondern mehr als Naturprodukte gesehen. Ruinen stehen umher, wie sie dieses Jahrhundert liebte, oder gar nur einzelne Bruchstücke, bereit, sich dem Erdboden wieder zu vermählen, aus dem sie genommen, und schon seine Farbe tragend.

Auch die Art des Sich-Hinbreitens Goethes ist typisch für das 18. Jahrhundert. Es ist ein lässiges Sich-Lagern, wie es die Antike kannte und wie es diese Zeit, in Erinnerung daran oder in unbewußter Verwandtschaft, wieder in Aufnahme brachte. Wir finden diese Art des halben Liegens, nur vollkommener als bei Goethe, der noch mit einem Fuße die Erde

---

[1]) Auf die Bedeutung der Landschaft haben jüngst Lichtenberg und Jaffé in ihrem Buche: 100 Jahre deutsch-röm. Landschaftsmal. Berlin 1907, S. 41 hingewiesen.

berührt, in Canovas: Paolina Bonaparte und in Davids: Madame Récamier.

Und schließlich ist das Goethebild als ein „historisches Porträt" in den Rahmen des 18. Jahrhunderts zu fassen. Reynolds schrieb sich die Entdeckung dieser Gattung zu; ihre genaue Definition ist nicht ganz leicht. Der Dargestellte ist von der Stätte seiner Wirksamkeit umgeben, ganz so wie es die Renaissance schon kannte. Aber während im Renaissanceporträt die Umgebung nur soweit mitspricht, wie sie es im wirklichen Leben täte, bekommt sie jetzt eine besondere Bedeutung. Sie soll dazu verhelfen, die Gedanken, die sich an den Anblick des Dargestellten knüpfen, weiterzuspinnen. Der Dargestellte selbst ist zwar nicht ganz ins Allegorische transponiert, aber er ist doch der Ausgangspunkt für derlei Deutungen, er ist der Träger einer geistigen Handlung, die sich zwischen ihm und seiner Umgebung nicht eigentlich darstellt, aber doch angeregt wird. So entsteht eine eigentümliche Mischform von Porträt und Historie.

Es war beim Goethebilde nicht das erste Mal, daß sich Tischbein an ein historisches Porträt heranwagte; schon im Anfange seines zweiten römischen Aufenthalts hatte er in dem bereits erwähnten Doppelbildnis des späteren Domherrn Meyer und seines Freundes, des späteren Kammerrates Frankenberg, die gleiche Aufgabe unternommen. Das Bild ist leider verschollen, doch wird es uns durch eine Beschreibung Meyers[1]) lebendig. „Die Figuren hat der Künstler in

---

[1]) Darstellungen aus Italien l. c., S. 152 f, freilich, aus Bescheidenheit, ohne Namensnennung der Porträtierten. Diese lassen

eine Gegend der Villa Medici, Arm in Arm, der Statue einer Dea Roma gegenüber nachdenkend hingestellt, deren zertrümmerte Arme und die Hände mit der Weltkugel und dem Spieß am Fußgestell liegen: ein treffendes Sinnbild der gefallenen Macht des weltbeherrschenden Roms. In dem etwas vertieften Mittelgrunde ragt die Kuppel der Peterskirche und das zur Engelsburg umgeschaffene prächtige Grabmal Hadrians hervor."

Einen ähnlichen Gedanken sollte das Bildnis Goethes aussprechen; auch ihn sollte das verfallene Rom umgeben und er selbst dargestellt sein, „wie er auf den Ruinen sitzet und über das Schicksal menschlicher Werke nachdenket".[1]) Aber unter dem Malen gestaltete sich dieser melancholische Gedanke zu einem weit fröhlicheren um. Wollte Tischbein anfangs nur die Trauer wiedergeben, die ein großer Mensch im Angesicht des Verfalls einstiger Schönheit empfindet, so wuchs ihm allmählich der tröstende Inhalt daraus, daß dieser große Mensch auch fähig wäre, aus den Trümmern der Vergangenheit kraft seines Forschens wenigstens eine geistige Einheit zu schaffen. Goethe war ihm dieser große Mensch, der gekommen sei, „um aus den Bruchstücken der Alten ihren Geist zu erklären".[2])

Nun ist es wohl keine Willkür, wenn Tischbein gerade einen Obelisken als das Bruchstück wählte, auf

sich jedoch aus einem Briefe Reiffensteins an den Herzog v. Gotha vom Jahre 1783 (Beck: Ernst II.) unschwer feststellen.
   [1]) Brief Tischbeins vom 9. Dez. 1786 an Lavater. Schriften der Goethe-Gesellschaft XVI, S. 364.
   [2]) Brief Tischb. an Goethe, abgedr. b. v. Alten l. c., S. 290.

dem Goethe saß. Vielmehr scheint hier eine bewußte Anspielung auf Goethes Kunstanschauungen gemacht zu sein. An einem Obelisken ging Goethe der große Gedanke auf, daß ein Kunstwerk nichts Unbedingtes sei, sondern der genauen Forderung gehorchen müsse, die der dargestellte Gegenstand an ihn stelle, wolle es zum Wesentlichen vordringen. In dem Aufsatze von 1788: „Material der bildenden Kunst" teilte er seine Beobachtung mit, daß die Parallelepipeden, in denen man den Granit antrifft, schon von Natur aus wiederum diagonal geteilt sind und eigentlich von selbst in zwei, wenn auch rohe, Obelisken zerfallen. So komme der Künstler, wenn er einen Obelisken meißle, nur dem im Gegenstande selbst ruhenden Bildungsgesetze zu Hilfe. Dieses heute wieder so gepriesene Materialgesetz fand Goethe schon von den Alten erkannt; ihre dadurch selbst auferlegte Beschränkung war ihm „einer der großen Vorzüge der alten Kunst"; an dieses Gesetz dachte wohl auch Tischbein bei den Worten, daß Goethe gekommen sei, „um aus den Bruchstücken der Alten ihren Geist zu erklären", und zur Erinnerung an seine Wiederauffindung, an der er doch selbst beteiligt war, gab er Goethe einen Obelisken zum Sitze.

Auch sonst ist dieses Bildnis voller Beziehungen. Um die ganze antike Welt vor Goethe auszubreiten, ließ er jede ihrer Epochen, so wie man sie damals ansah, mit einem Werke vertreten sein; die älteste Kunst durch die Trümmer des ägyptischen Obelisken, die Blütezeit durch ein Relief, das er gewiß für ein Werk im edelsten griechischen Stile gehalten wissen

wollte, die Spätzeit durch ein römisches Kompositen-
kapitell. Das Relief — es stellt den Augenblick dar,
da Orest und Pylades vor Iphigenie geführt werden —
ist wohl zum größten Teil freie Erfindung, wofür schon
die Tatsache spricht, daß es auf der oben erwähnten
Aquarellkopie nach der früheren Fassung des Goethebildes wesentlich anders aussieht. Möglich, daß ihm
das Relief eines römischen Sarkophags der Villa Albani
dabei vorschwebte. Dann hat es jedoch nicht viel
mehr als das Thema gegeben; die Darstellung weicht
auf der Aquarellkopie wie auf dem fertigen Bilde
in den meisten Punkten von ihm ab. Carl Roberts
lakonische Behauptung: „Das Albanische Bruchstück
auf dem Gemälde von Tischbein, Goethe in Italien aus
dem Jahre 1797" ist also zum mindesten übertrieben.[1]

Mit diesem Relief wollte Tischbein den großen
Menschen als den Wiederbeleber versunkener Größe
noch einmal vor Augen führen, diesmal nicht durch
die Kraft der Erkenntnis, sondern durch die Tat. Dieser
Gedanke sollte durch ein Gleichnis angeregt werden,
dessen erster Teil gegeben ist. So wie die Pflanzen
aus dem Boden einer abgestorbenen Kultur neue Keim-
kraft ziehen, wie das Iphigenienrelief einer Efeuranke
zur Stütze dient, die den alten Stein mit jungem Leben
umgrünt, so hatte der alte Iphigenienstoff Goethe den
Halt geboten, um eine neue Antike aus ihm zu bilden.
Sucht man das Goethebild im Rahmen Tischbein-

---

[1] Vgl. C. Robert: Die antiken Sarkophage. Bd. II, Berlin
1890, S. 180. Ebenda, Tafel 57, Fig. 168, eine Abb. des Albanischen
Bruchstücks.

scher Kunst zu verstehen, so muß man es als die Blüte
seiner klassischen Kunstanschauung betrachten. Alles
darin ist von einem bewußten Künstlerwillen diktiert,
und was beim ersten Anblick als rasche Erfindung
anmutet, das offenbart sich bei näherem Zusehen als
eine Befolgung jüngst gewonnener Prinzipien. Die
Rücksicht auf das Tonmodell machte es nötig, daß
die Komposition Goethes sich ganz nach statischen
Gesetzen aufbaute. Kein Glied schwebt in der Luft,
ein jedes ruht sicher auf: das linke Bein auf einem
Stein, über den nur der Fuß hervorragt, das rechte
auf dem Boden, der linke Arm auf dem rechten Knie,
der rechte Arm auf einem höheren Blocke. Die An-
ordnung der Gliedmaßen entspricht Mengsschen Forde-
sammensetzung, „besteht darin, daß, wenn man einen
rungen. „Der Kontrast oder Gegensatz der Glieder,"
so schrieb Mengs in seinem Kapitel: Von der Zu-
Arm hervortreten lassen will, man das Bein von derselben Seite zurücktreten lassen muß; auch der andere
Arm muß zurückgehen, während auf dieser Seite das
Bein hervorgeht."[1]) Die eigentümliche, nicht gerade
glückliche Beinstellung — sie leidet außerdem an dem
Fehler, daß die Oberschenkel viel zu lang geraten
sind — scheint noch direkter auf Mengs zurück-
zugehen; jedenfalls entspricht sie der Haltung Kleo-
patras auf dessen Bilde „Augustus und Kleopatra", das
ihm im Original oder im Stich von Richard Earlom
bekannt sein durfte.[2])

Auch die Behandlung der Falten des großen

---

[1]) Mengs l. c. II, S. 49.

[2]) Das Werk, im Besitz der Gal. Czernin, Wien, ist abgeb. in

Mantels geht auf Beobachtungen von Mengs zurück. „Die Alten legten die großen Falten stets auf große Teile des Körpers und durchschnitten diesen nie mit Kleinigkeiten, sahen sie sich aber hierzu vermöge der Natur der Kleidung veranlaßt, so brachten sie so kleine und wenig erhabene Falten an, daß dadurch keine Hauptsache angedeutet werden konnte."[1]) Die große Falte kommt auf Goethes freien Oberkörper, die vielen kleinen auf die unwesentliche Mittelpartie zu liegen. Wie schon bei dem Bilde der Sophonisbe oder der Helena verhüllt das Gewand die Glieder nicht ganz, sondern läßt sie unter dem Stoffe sich deutlich abzeichnen.

Die farbige Haltung des Bildes ist gleichfalls wohl erwogen. So wie die zeichnerischen Teile eine starke Vereinfachung erfahren haben, ist auch die Farbe überall zu großen Flächen stilisiert. Alles Bunte ist vermieden; graue und braune Töne müssen dem Hintergrunde genügen; das Grün der Pflanzen im Vordergrunde wird niemals durch eine bunte Blüte belebt. Der vorzüglich gemalte Mantel ist von leuchtendem Weiß, dem Weiß der Statuen, schon nach Winckelmann der schönsten Farbe, weil sie „die mehresten Lichtstrahlen zurückschicket".[2]) Tischbein hat es gleichwohl verstanden, diese Farbe vor Eintönigkeit zu bewahren. Am Halse läßt der Mantel den roten

Springer-Osborn, Bd. V. d. Handb. der Kunstgesch. 3. Aufl. Lpzg. 1906, S. 6.
[1]) Mengs l. c. I, S. 241.
[2]) Winckelmann l. c. Buch IV, Kap. 2, § 19. Ganz in weißem Gewande malte z. B. Romney die Lady Hamilton als Spinnerin.

Rockkragen sehen, am rechten Arm ein Stückchen gleichfalls roten Ärmelaufschlags und schließlich die gelbe Hose und den hellblauen Strumpf des rechten Beines, das sich wie ein letzter Protest des besiegten Rokoko gegen die Antike auflehnt.

Der Kopf ist von einem grauen Schlapphut bedeckt, eine zweifach glückliche Idee, denn einmal bietet er durch seine Größe dem gewaltigen Körper ein wirksames Gegengewicht, dann aber gibt die heruntergeschlagene Krempe einen dunklen Rahmen, aus dem das helle Gesicht nur um so leuchtender hervortritt.

So sehen wir Tischbein überall mit Berechnung zu Werke gehen, und doch entsteht im Beschauer, um nicht zu sagen gar nicht, sehr wenig das Gefühl des Gemachten. Ein lebendiger, frischer Atem weht in diesem Bilde; der Genius Goethes hat sich im Malen dem Künstler mitgeteilt und seine Kräfte aufs höchste gespannt; allein der klare, bedeutende Kopf ist von bezwingender Kraft. Tischbein hat mit diesem Werke sein Meisterstück und zugleich eines der besten Bilder der deutschen Malerei des 18. Jahrhunderts geschaffen. In der Reihe der Goethebildnisse nimmt es unstreitig den ersten Platz ein; uns Heutigen mag manches andere Porträt, z. B. der Greisenkopf Schwerdtgeburts, vertrauter sein: den Ewigkeitszug trägt nur dieses Bild.

Gleichsam als Satyrspiel zu der Tragödie hat Tischbein neben dem großen Goethebilde 1787 noch eine getuschte Federzeichnung geschaffen, die den Olympier sehr unolympisch darstellt. Paul Heyse hat den Goethe dieses Bildchens in einem gereimten Reisebriefe an

Wilhelm Hemsen liebenswürdig und zugleich er-
schöpfend beschrieben:

"Wo er so häuslich erscheint in der Sommerfrühe, nur eben
Aus dem Bette gesprungen und erst notdürftig bekleidet,
Wie er den hölzernen Laden zurückgeschlagen, des schönen
Römischen Morgens genießt und bequem hemdärmlig am Simse
Lehnt und der Sonne die Brust und das atmende Antlitz zukehrt.
Nur vom Rücken belauschest du ihn, doch glaubst du in jeder
Linie den Hauch zu empfinden des Wohlseins, der aus dem
Lichtquell
Sich durch Adern und Nerven des Neuerweckten ergossen.
Selbst im Nacken das Zöpfchen, der Fuß, der aus dem Pantoffel
Halb sich erhob, die Schnalle, die unterm Knie den Strumpf hält,
Jeglicher Zug spricht aus: dem Manne ist wohl; wie ein Halbgott
Schlürft er, vom Zwange befreit, den verjüngenden Atem der
Frühe".[1]

Schließlich geht ein gemaltes Bildnis Goethes unter
dem Namen Tischbein, das von Zarncke nicht erwähnt
wird. Es stellt den Dichter mit weißem Haar in grün-
blauem Mantel dar, unter dem man ein Stückchen
roten Rockkragens und den umgeschlagenen weißen
Hemdkragen erblickt. Außer der Bezeichnung "Tischbein" trägt es die Jahreszahl 1810.[2] Diese Zahl macht es

---

[1] Gedichte 3. Aufl. Berlin 1885, S. 317. Die Zeichnung ist
u. a. abgeb. bei Rollet: Goethebildnisse l. c., S. 78.
[2] Nicht 1819, wie im Goethejahrb. XV, S. 306 zu lesen. Diese
Angabe verdanke ich den Mitteilungen der jetzigen Besitzerin des
Bildes, Frau Prof. Samuel in Heidelberg. Ich entnehme ihnen noch,
daß das Bildnis in Öl gemalt ist und 25 cm im Quadrat beträgt.
Goethe schenkte es dem Geheimrat Nägele mit einer Dedikation
auf der Rückseite des Rahmes, die später wegradiert wurde. Frau
Nägele gab es Herrn Professor Oppenheimer in Heidelberg, nach
dessen Tode es in den Besitz seiner Tochter kam. Ich habe das
Bild selbst nicht gesehen.

unmöglich, das Werk Wilhelm Tischbein zuzuschreiben, der in diesem Jahre bereits in Eutin lebte, wie er überhaupt nach dem italienischen Zusammentreffen Goethe nicht mehr begegnet ist. Es wird wohl seinen Vetter Friedrich August Tischbein zum Schöpfer haben, der sich von 1806 bis 1809 in Rußland aufhielt und 1810 nach Heidelberg übersiedelte. Auf der Heimreise mag er Weimar passiert haben, das ihm von früheren Besuchen, bei denen er u. a. Wieland, Schiller, Charlotte von Kalb und die Herzogin Maria Paulowna porträtierte, gut bekannt war.[1])

Für Wilhelm Tischbein behielt die Physiognomie Goethes eine nachwirkende Kraft. Dies beweist eine Sepiazeichnung mit der Aufschrift „W. Tischbein" und „Rom, d. 28. Juni 1788", die sich im Besitz des Herrn Prof. Arthur Schmidt (Gießen) befindet. Dargestellt ist ein nackter Jüngling, der sich vor einem Baumstamme in halb sitzender, halb liegender Stellung von rechts nach links hinbreitet. Eine Leier, darauf sich seine rechte Hand stützt, bezeichnet ihn als Apollo. Der linke Unterarm legt sich auf eine Erhöhung des Bodens, ganz ähnlich wie auf dem Goethebilde der

---

[1]) Hierbei wage ich die Hypothese, daß das prächtige Bildnis der Herzogin Luise im Weimarer Goethehause, dessen Maler bisher unbekannt war, gleichfalls von F. A. Tischbein herrührt. Dafür spricht seine Ähnlichkeit mit dem F. A. Tischbeinschen Luisenporträt von 1795, besonders in Bezug auf den Mund, die Augen und die Haltung des Körpers und Kopfes. Das Bildnis von 1795 hat freilich Ovalformat und Rokokotechnik, während das anonyme Porträt rechteckig abschließt und klassizistisch anmutet. Aber dieser Unterschied läßt sich aus der Wandlung F. A. Tischbeins zum Klassizisten erklären (vgl. S. 152). Dem Alter der Dargestellten nach (geb. 1757) kann das Bildnis gleichfalls um 1810 entstanden sein.

Skizze zu einer Apotheose Goethes (?) □
Sepiazeichnung

□
Gießen
Prof. Arthur Schmidt

rechte Unterarm auf einem Bruchstücke des Obelisken ruht, und auch die Haltung der Hand ist fast die gleiche. Die Art des sich Hinbreitens und das, wenn auch entfernt, an Goethe gemahnende Antlitz ließen diese Zeichnung wie eine Aktstudie zum Goetheporträt erscheinen, wenn nicht die Datierung — um diese Zeit war Goethe bereits in Weimar — dem widerspräche. So scheint es sich vielmehr um die Skizze zu einer nachträglichen Apotheose Goethes zu handeln, wofür außer der Leier noch der im Hintergrunde unter Bäumen liegende lange Stein spricht, der wohl ein Obeliskenbruchstück vorstellen soll. Auch auf dem linken Enface-Gesicht der fünf Charakterköpfe — sie finden sich neben˙ S. 123 abgebildet — erkennt man unschwer eine Reminiszenz an den Goetheschen Gesichtstypus. Alles das beweist den außerordentlichen Eindruck, den Tischbein von Goethes Gegenwart empfangen hat.

4. Bruch der Freundschaft.

Am 22. Februar 1787 reisten Goethe und Tischbein nach Neapel. Auch hier erwies sich Tischbein als der unterrichtete Führer, hatte er doch den Weg nach Neapel schon einmal, bei seinem ersten römischen Aufenthalt, zurückgelegt. Gemeinsam mit dem Cavaliere Venuti und dem Kupferstecher Georg Hackert besuchten sie Pompeji und Herkulanum; dem Prinzen Christian von Waldeck folgten sie auf seine Einladung nach seiner Villa: kurz, sie trennten sich auch hier fast nie voneinander. Und doch fand sich Goethe von dem Freunde schon leise zurückgestoßen. Gewiß, Tischbein ist ein vortrefflicher Charakter, aber „als Mensch und Künstler wird er von tausend Gedanken hin und her getrieben, von hundert Personen in Anspruch genommen. Seine Lage ist eigen und wunderbar; er kann nicht freien Teil an eines Andern Existenz nehmen, weil er sein eigenes Bestreben so eingeengt fühlt“.[1]) Tischbein war nicht in der unabhängigen Lage, in der sich Goethe befand. Da er von der Pension des Herzogs von Gotha nicht leben konnte, so mußte er ständig Beziehungen anknüpfen, um sein Brot zu verdienen. Das tägliche Zusammensein mit Goethe bereicherte ihn geistig, aber es entfernte ihn auch seinem Berufe, und Goethe war nicht der Mann, darauf Rücksicht zu nehmen. Alles das erklärt es, daß es Tischbein nicht mehr über sich gewinnen konnte, den Dichter auf seiner Weiterreise nach dem Süden zu begleiten. Er gab ihm seinen Freund Kniep zur Begleitung, eine treue Seele, die es glücklich machte, in Goethes Dienste zu stehen. Goethe dankte für diese Fürsorge, aber ein leiser Groll gegen den Freund, der ihn verließ, blieb zurück.

Tischbein muß nun doch wohl in Neapel nicht so viel Aufträge gefunden haben, wie er gehofft hatte, denn als ihm der Prinz von Waldeck den Vorschlag machte, ihn nach Rom zu begleiten, willigte er ein, wohl in der Hoffnung, am Fürstlich-Waldeckschen Hofe dereinst eine neue Hilfsquelle zu finden. Auf dem Wege nach Rom sah er einen Mann mit einem braunen

---

[1]) Italien. Reise. Notiz vom 17. März 1787.

Schaffell bekleidet ihm entgegen reiten. Auf dem Pferde des Mannes lagen ein paar weitere Felle. Diese Erscheinung regte ihn zum Nachdenken darüber an, wie doch der Mensch sich die Tiere untertan mache, sich von ihnen nähre und kleide und schließlich ein anderes Tier mit ihnen belade. Der Gedanke war eine Weiterentwicklung des Goethebildes. Dort war der Mensch nur der Herrscher über eine vergangene Kultur, hier sollte er zum Sieger über die ganze Natur werden. Ein Lieblingsgedanke der klassischen Zeit, die Macht des Menschen, schlug damals in ihm Wurzel, um sein künftiges Schaffen dauernd zu beeinflussen. Wollte er die Idee zu einem Bilde gestalten, so durfte er natürlich keine Schaffelle malen, „denn Schafe, die am Pferde hängen, sind ein erbärmlicher Gegenstand";[1] aber einen Hund, ein Pferd, einen Löwen, ja einen Adler, die wollte er dem Menschen zum Sklaven geben. Das war das erste Bild, das er in Neapel malte,[2] damals noch im kleinen und erst nach über dreißig Jahren im großen Maßstabe.

Von seinem sonstigen Ergehen haben wir nur eine Nachricht in einer Notiz des deutschen Merkur, des Inhalts, daß ihm die Kaiserin von Rußland 1000 Rubel für einen Kopf auszahlen ließ, „der, glaube ich, aus der Skizze von dem Urteil des Paris gewonnen war".[3] Gemeint ist wohl, da Tischbein ein Parisurteil nie gemalt hat, das Paris- und Helenabild. Einzelne antike

---

[1]) Selbstbiogr. II, S. 98.
[2]) Goethe erwähnt dieses Bild versehentlich schon unter dem 7. November 1786 seiner italienischen Reise.
[3]) Märzheft 1788, S. 267.

Köpfe malte Tischbein damals öfter, auch ohne sie für Bilder zu verwenden, wie die zwei Homerischen Helden, die sich heut im Schlosse zu Arolsen befinden.

Am 6. Juni 1787 kehrte Goethe nach Rom zurück und zog wiederum in Tischbeins Haus. Aber schon im Juli verließ Tischbein seinen Freund ein zweites Mal, und ging mit Venuti, der die zur „farnesischen Verlassenschaft" gehörigen Antiken abholte, nach Neapel. Goethe gegenüber betonte er, daß diese Reise nur einen Ausflug bedeute; er würde sich beeilen, Rom wieder zu sehen, um seine Gegenwart noch zu genießen. In Wahrheit hoffte er auf den Posten des Direktors der Neapler Akademie, den ihm Venuti versprochen hatte. Nun von Neapel aus kündigte er öfters seine Rückkehr nach Rom an; Goethe, der nach Tischbeins Weggang dessen Atelier bezog, mußte auf solche Nachrichten hin sein Zimmer räumen, ohne daß Tischbein seine Zusage gehalten hätte. Die Briefe, die Tischbein von Neapel aus an Goethe schrieb, hatten wieder den offenen, frischen Ton, der ihn einst so günstig für Tischbein gestimmt hatte, aber Goethe sah wohl ein, daß ihr Schreiber „nicht so rein, so natürlich, so offen wie seine Briefe" sei.[1] „Es war sonst gut mit ihm zu leben, nur ein gewisser Tik ward auf die Dauer beschwerlich. Er ließ nämlich alles, was er zu tun vor hatte, in einer Art Unbestimmtheit, wodurch er oft ohne eigentlich bösen Willen andere zu Schaden und Unlust brachte."[2]

---

[1]) Zweiter röm. Aufenthalt, 2. Oktober 1787.
[2]) Ebenda, Aprilbericht 1788.

Den wahren Grund dieser Unbestimmtheit erkannte Goethe damals noch nicht; ihr lag doch weniger Charakteranlage, als ein besonderer Umstand zugrunde.

Tischbein hatte nach dem Konradin von Schwaben nichts mehr an den Herzog von Gotha gesandt. Das Helenabild war bereits in Gotha angekündigt, aber es wurde niemals fertig, sei es, weil Tischbein die Lust daran verlor, sei es, weil er den Herzog hinhalten wollte, der ihm die stets von neuem geforderten Zuschüsse nicht mehr so bereitwillig sandte. Ganz fallen lassen konnte er dieses Bild auch nicht, weil er damit kund getan hätte, daß er sich von dem Herzog gelöst habe. Eine Lösung des Verhältnisses strebte nun Tischbein freilich an, aber er wollte sie nicht eher beschlossen wissen, als bis er sich in Neapel feste Verbindungen geschaffen hätte. So ließ er das Werk im römischen Atelier und schob die Vollendung auf seine angekündigte Rückkehr hinaus. Die festen Verbindungen schlossen sich über Erwarten schnell, und schon am 5. April und, da Goethe nicht antwortete, noch einmal am 14. April 1788 teilte er Goethe mit, daß er sein römisches Quartier aufgäbe, um sich in Neapel dauernd nieder zu lassen. Als er nun noch seit dem April des Jahres von Gotha aus ohne Geld und Bescheid blieb, hielt er den Augenblick für gekommen, Goethe seinen Bruch mit dem Herzog zu verkünden.

Goethe, ungeachtet dieser Nachricht, versuchte die Verbindung von neuem anzuknüpfen. Im September sprach er den Herzog und konnte Meyer schreiben, daß dieser Tischbein durchaus wohlgesinnt sei, worüber ein längerer Brief ausführlich berichten würde. Im Oktober erhielt Tischbein von Goethe ein paar Zeilen mit der gleichen Ankündigung eines ausführlichen Schreibens, die aber niemals in Erfüllung ging. Sei es nun, daß ihm Tischbein zu verstehen gab, er wäre jeder erneuten Verbindung abgeneigt, sei es, daß Goethe jetzt erst in Tischbein den Egoisten erkannte, der den Herzog von Gotha nur als Sprungbrett zu weiterem Fortkommen benutzt hatte und keinerlei Treugefühle gegen ihn hegte, er zog sich grollend von dem einstigen Freunde zurück und machte seinem Unmut in einem vertraulichen Schreiben nach Rom an Herder Luft, darin er mit beißendem Spotte über Tischbein herzieht: „Er hält sich für fein und ist nur kleinlich, er glaubt intriguieren zu können und kann höchstens die Leute nur verwirren. Er ist unternehmend, hat aber weder Kraft noch Fleiß zum Ausführen ... Über Deutsche hat er durch die Exuvien von Redlichkeit, mit denen er sich aufstutzt, und durch seine harmlos scheinenden naiven Hasenfußereien eine Weile ein Ascendent. Ein Nachklang von Gemüt schwankt noch in seiner Seele. Es ist schade um ihn."[1]

5. Tischbein als Mensch.

Außer diesem abfälligen Urteil Goethes besitzen wir über Tischbeins Persönlichkeit ein Zeugnis des Malers Müller, der in einem Briefe an Heinse, ganz wie Goethe, Tischbeins intriguierendes Wesen schildert.[2] Belastend für Tischbein würde schließlich ein Passus

[1] Brief vom 2. März 1789.
[2] Vgl. die Notiz von Hettner: Der Maler Müller und Goethes Aufenthalt in Rom. Spenersche Ztg. 1872, No. 216.

in Josef Anton Kochs „Rumfordischer Suppe" sein, den ihr Neuherausgeber Jaffé auf Tischbein beziehen will.[1]) Die Art der Charakterisierung, in der einem „Holzwurm" genannten Maler mit eindeutigen Worten Kriecherei und geschäftliche Routine vorgeworfen werden, könnte immerhin diese Auffassung rechtfertigen, sprächen nicht gewichtige Gründe dagegen.

Zunächst ist der Brief, in dem Koch den römischen Maler über Holzwurm schreiben läßt, Rom 1800 gezeichnet, also zu einer Zeit, da Tischbein gar nicht mehr in Italien war. Sodann wird er als einer der Hauptprotégés des berüchtigen Lord Bristol (bei Koch „Plumpsack") erwähnt, woraus hervorgeht, daß er in Rom lebt. Da Tischbein seit 1787 in Neapel weilte, so müßte also auf einen Zustand angespielt sein, der 1800 bereits dreizehn Jahre zurückliegt. Zudem ist von einem Protektorat Bristols über Tischbein in dessen Selbstbiographie nirgends die Rede. Spielt Koch aber auf den Neapolitanischen Aufenthalt an, so ist es doch merkwürdig, daß er seiner nicht, wie Hackerts, bei Besprechung Neapeler Zustände Erwähnung tut. Auch hätte er bei seiner polemischen Haltung gegen Goethe sich diese willkommene Gelegenheit doch nicht entgehen lassen, Goethe einen Hieb zu versetzen. Alle diese Momente reden deutlich genug, um für den geschmähten „Holzwurm" ein anderes Opfer ausfindig zu machen, als Wilhelm Tischbein.[2])

---

[1]) Innsbruck 1905, S. 43 f. Dazu die Anm. 14 auf S. 165.
[2]) Nachträglich finde ich diese Ansicht von Fr. Noack, Deutsches Leben in Rom 1700—1900, Stuttgart und Berlin 1907 geteilt. Noack schlägt den Stecher Gmelin vor.

Dem Urteile Goethes und Müllers sind die Goethephilologen von Düntzer bis Harnack gefolgt, nicht in des Dichters Sinne, wie mir scheint, der seine Ansicht in späteren Jahren gewiß geändert hat, wenn anders es verständlich sein soll, daß er die einstige Freundschaft mit Tischbein nach langer Pause wieder aufnahm und mit großer Herzlichkeit weiter führte. Nur ein Freund des Tischbeinschen Hauses, der Herausgeber der Selbstbiographie, hat gegen den Goetheschen Schiedsspruch in seinem Aufsatze: „Goethe und Tischbein" Protest eingelegt, darin er den Maler als einen Mann „des kindlich-naivsten, redlichsten und wohlwollendsten Charakters" hinstellt.[1]) Da es von Wert ist, die Eigenart des Menschen, der Goethes Freundschaft genoß, genauer zu kennen, so sei an dieser Stelle der Versuch einer Psychologie des Künstlers eingefügt, soweit sie sich aus den erhaltenen Zeugnissen seines Lebens erschließen läßt.

Tischbein berichtet in seiner Lebensbeschreibung die Abschiedsworte seiner Mutter beim Scheiden des Knaben von Haina: „Wenn du in die Fremde kommst, zu anderen Leuten, schmeichle ihren Hunden und spiele mit ihren Kindern, dann werden sie dir geneigt", und er fügt hinzu: „Das tat ich auch bei meinen Reisen, und manche Wirtin wollte ihren Mann bewegen, keine Bezahlung von mir anzunehmen, denn ich hatte ihre Kinder so gut unterhalten."[2]) Die mütterliche Mahnung wurde das Leitmotiv seines ganzen Lebens; überall wohin er kam, suchte er sich das Ver-

---

[1]) Dr. Schiller in Herrigs Arch. l. c.
[2]) Selbstbiogr. I, S. 57.

Schwebende Figur aus   Oldenburg
der „Idylle" (1819/20)   Augusteum

Nach einer Originalaufnahme von Wilh. Oncken in Oldenburg

trauen der Menschen zu gewinnen. Sein Charakter machte ihn zu diesem Beginnen durchaus geeignet. Ohne alle Härten, vielmehr sanften und gefälligen Wesens, schmiegsam bis zur Selbstaufgabe, fühlte er sich überall zu Hause. Er hatte eine Art von so zutraulicher Offenheit und Biederkeit, und ein so großes Maß von Bescheidenheit, daß er auf den ersten Blick wie ein unverdorbenes Landkind wirkte. Dazu kamen ein klarer Verstand, eine leichte Auffassungsgabe und ein vorzügliches Gedächtnis.

So sah ihn Goethe am Anfange des römischen Aufenthalts, so sah ihn ein Freund, der ihn 1806 besuchte, und ihm in der „Zeitung für die elegante Welt"[1] das Lob ausstellte: „Es ist entzückend, wie er an jedem Dinge gleich das Rechte sieht, und wie einfach, wie antik, könnte man sagen, er es von sich gibt," und so hörte ihn Dr. Schiller rühmen, als er gegen Goethes späteres Urteil zu Felde zog. Und in der Tat, alle diese Eigenschaften zeigten sich im schönsten Lichte, wenn es Tischbein wohl erging. Als er in Neapel das Ziel seiner Wünsche, den Posten des Akademiedirektors, erreicht hatte, da war er seinen Schülern nicht nur ein Lehrer, sondern ein Vater, der sie mit Rat und Tat unterstützte. Und als er in Eutin unter dem Schutze eines kunstsinnigen Herzogs seinen Neigungen folgen konnte, da galt er seiner Umgebung und besonders seiner Familie als ein Muster von Leutseligkeit und Herzensgüte.

Alles das aber änderte sich, wenn Tischbein dieses

---

[1] 1808, S. 662.

Wohlergehen nicht besaß, wenn er auf dem Wege war, etwas zu erreichen. Und die Ziele, die er sich steckte, waren hoch. Er wollte nicht, wie die meisten seiner Onkel und Vettern, ein kleiner Maler bleiben, der sich notdürftig ernährte; ihn drängte es, große Leistungen zu vollbringen, Ruhm zu ernten und behaglich zu leben. Der Ehrgeiz, der ihm schon in Hamburg das Haus seines Onkels verleidet hatte, war der Stachel, der ihn ruhelos von Ort zu Ort trieb und alle seine guten Eigenschaften in ihr Gegenteil verkehrte. Dann wurde aus seiner Gefälligkeit: Kriecherei, aus seiner Offenheit: Doppelzüngigkeit, aus seiner Klugheit: Berechnung, aus seiner Bescheidenheit: Habgier. Alle ihm von der Natur verliehenen, guten Gaben mußten helfen, seine Wünsche vor den andern zu verkleiden und doch in Erfüllung zu bringen; alle seine Freunde waren nur dazu da, ihm weiter zu helfen, alle seine Förderer, sich von ihm aussaugen zu lassen. Es ist die Geduld zu bewundern, mit der ein Merck, ein Lavater, selbst ein Goethe sich von ihm einspannen ließen. Aber er war auch von einem außerordentlichen Talent im Antreiben. Immer unter der Maske der Biederkeit und Bescheidenheit, wußte er seine Lage so erbärmlich hinzustellen, und dabei dem Hilfegewährenden so zu schmeicheln, daß nicht so leicht Einer gegen seine Absicht handelte.

Nun täte man Tischbein Unrecht, wenn man meinte, er hätte diese Ränke bewußt ausgeübt. Sein Wunsch, etwas zu erstreben, war so heiß, daß er seinen Blick für alles andere verdunkelte, sein Egoismus war so stark, daß er ihn in jeder anderen Hinsicht naiv machte. Nur nach solchen Perioden hatte er das Gefühl, nicht schlecht, sondern verwirrt gewesen zu sein, und so suchte er auch Goethe seinen damaligen Zustand in einem Briefe nach Weimar zu erklären: „Sie trafen mich in so verwirrten Umständen, die auch meinen Kopf und Gemüt in Unordnung hielten ... Kommen Sie aber wieder, so hoffe ich, daß Sie mich in etwas ruhigeren Umständen treffen sollen und ich werde alsdann auch bei mir selbst sein."[1]

In seiner Selbstbiographie werden solche Perioden übergangen, nicht so sehr, weil er sich ihrer schämte, als weil er sie vergaß. Sein Bestreben, die Dinge harmonisch zu sehen, war so groß, daß es instinktiv alles Störende auswarf. Nur aus manchen Zeilen blickt es wie eine verstohlene Rechtfertigung seiner selbst, so wenn er Lavater gegen den Vorwurf der Charakterlosigkeit verteidigt: „Lavater hatte das Vermögen, wenn er auch mit tausend Menschen sprach, den Charakter jedes Einzelnen schnell zu erkennen, auf die feinste Art den fremden Sinn mit dem seinigen in Einklang zu versetzen ... ein solcher Mann ist der menschlichen Gesellschaft von großem Werte";[2] oder wenn er sich in einem Briefe für Odysseus begeistert: „man kann diesen weisen Mann, der sich in allen Fällen des Lebens zu helfen wußte, nicht genug vor Augen haben".[3]

---

[1] Brief vom 26. August 1788. Schriften der Goethe-Gesellsch. II, S. 63.

[2] Selbstbiogr. I, S. 208.

[3] Abgdr. b. v. Alten l. c., S. 216.

VI. Der Aufenthalt in Neapel 1787–1799.

1. Einflüsse antiker Malerei. ▫ ▫ ▫ ▫

Rom konnte einem Künstler des 18. Jahrhunderts alles bieten, wonach er verlangte: den ständigen Anblick der Antike und der Renaissance, die vielen gleichstrebenden Künstler, die aus allen Enden Europas in diese Zentrale strömten. Neapel vermißte beides; die Überreste antiker Herrlichkeit waren, in Neapel selbst, versunken, die Renaissance war nur in barocker Verwilderung zu genießen, und von den Künstlern lebten dort außer den deutschen Brüdern Hackert nur ein paar Italiener.

In Neapel konnte dafür ein Künstler sehr rasch zu Geld und Ansehen kommen, denn hier residierte der kunstliebende Hof des Königs Ferdinand IV., hier wimmelte es von den Gesandten fremder Staaten, und hier ließen sogar Neapolitaner, im Gegensatz zu den teilnamslosen Römern, es an Aufträgen nicht fehlen. So ist es ein Beweis für den Idealismus der damaligen Künstlerschar, daß sie sich trotzdem von Rom nicht trennte, ein Beweis zugleich für Tischbeins materiellere Gesinnung, daß er Neapel zu seinem Domizil erwählte, wie ja auch die Brüder Hackert sich vortrefflich auf die geschäftliche Seite ihres Berufes verstanden.

Und doch vermittelte gerade der Aufenthalt in Neapel Tischbein eine künstlerische Anregung, die vielleicht bei keinem anderen Klassizisten Früchte getragen hätte, ausgehend von der antiken Malerei. Der Einfluß, den die Antike auf Tischbeins Zeitgenossen übte, ging vornehmlich von den Statuen aus; in ihnen fanden sie das Hauptproblem ihres Strebens, die plastische Darstellung des Menschen, gelöst, in ihnen die erhabene Geste, die sie bis zum Theatralischen steigerten. Tischbein, von Hause aus dem Idyllischen zugeneigt, war dieser pathetische Klassizismus nur ein Übergangsstadium. Zeichnungen von Blumen, Tieren und einfachen Geschöpfen sowie Szenen des alltäglichen Lebens gingen schon in Rom neben den großen antiken Bildern einher; es bedurfte nur einer Bestärkung dieser Richtung von Seiten der Alten, um sie aus ihrer untergeordneten Stellung emporzuheben. Diese Bestärkung und zugleich eine Fülle neuer Anregungen fand er bei der römischen Malerei in Herkulanum und Pompeji oder im Museum von Portici, das einen Teil der Ausbeute barg. Staunend sah er dort Tiere in rascher, charakteristischer Bewegung erfaßt und Stilleben von Früchten, wie er sie ähnlich, nur mit der schon (S. 81) erwähnten naturwissenschaftlichen Pedanterie, in Hamburg und Eutin zu Zeichnungen und Bildern aufhäufte.

Eines seiner frischesten Aquarelle, die toten Fische von 1807, erinnert deutlich an ein Stilleben von Pompeji;[1]) die schwebenden Frauenfiguren vom Mittelfelde römischer Wände finden wir in den später entstandenen Nymphen der Idyllenbilder wieder; die durch Ara-

---

[1]) Das Aquarell ist im Besitz der Großherzogl. Privatbibl. Oldenburg; vgl. dazu Overbeck: Pompeji, 4. Aufl., Lpzg. 1884, Figur 300 b.

besken springenden Tiere vom Friese des Isistempels in den Friesen der Öfen, die er in Eutin also schmückte; Genien, die sich auf Ranken wiegen, in einem wundervollen gestochenen Buchumschlage (A 145), ganz zu schweigen von den vielen schönen Kopien, die er nach den antiken Malereien aquarellierte.[1]

Und alle diese Nymphen, Blumen und Tiere, die er später so zahlreich malte, sollten nicht einzeln an den Wänden hängen, sondern in großer Anzahl, denn ihr Zweck war — und auch hier folgte er nur der Anregung römischer Zimmerausstattung, die ihm durch Goethes Bewunderung noch besonders nahe gebracht wurde,[2] — die Wand zu gliedern und zu schmücken. Wir finden in seinen Handzeichnungen einige Pläne,[3] auf denen er versucht, seine Bilder lediglich als Wandschmuck zu gruppieren. Wären diese Bilder rein dekorativ, wie die pompejanischen Fresken, so dürfte dieses uns heut wieder besonders anmutende Unternehmen gewiß vortrefflich ausgeschlagen sein; so aber, da er, ein Sohn des 18. Jahrhunderts, sich nicht von der „bedeutenden" Darstellung trennen konnte, mußte der Gesamteindruck einer Wand, die mit derlei inhaltsreichen Bildern bepanzert war, nur verwirrend wirken.

Eine der Anregungen, die Tischbein in Pompeji und Herkulanum empfing, hat er an keinen geringeren als an Philipp Otto Runge weiter gegeben, der in Hamburg sein Bewunderer wurde und 1809 den Meister

---

[1] Im Bes. der Großherzogl. Privatbibliothek.
[2] Goethe: Von Arabesken 1788.
[3] wie [1].

in Eutin besuchte. Tischbein forderte ihn damals zur Mitarbeit an Zimmerfriesen auf, bei denen Runge die Ranken und Blumen, Tischbein die durch sie springenden Tiere entwerfen sollte. Runges früher Tod (1810) hat dieses Unternehmen vereitelt; jedenfalls ist es ein neues Band, das Tischbein mit der Romantik verknüpft.

2. Der Hof und die Gesandten.
Einflüsse englischer Malerei. ▧ ▧ ▧ ▧ ▧

Zum Hofe brachte ihn Philipp Hackert in Beziehung, ein Künstler, der als Freund der königlichen Familie großes Ansehen genoß. Tischbein durfte die Erbprinzessin Marie Therese malen, sodann den Kronprinzen Franz, für dessen Bild er von der Königin eine goldne Dose mit 200 Unzen erhielt.[1]) Der Kronprinz bedachte ihn seinerseits mit dem Auftrage zu einem großen Bilde: Hektors Abschied, das 1799 bei dem Einbruch der Franzosen geraubt oder vernichtet wurde. Marie Therese wurde er zum Zeichenlehrer bestimmt; hier war die Belohnung für viele Mühen, ein Ring mit der Chiffre der Königin, nicht so reich bemessen. Auf eine dauernde Verbindung mit dem Hofe durfte Tischbein, bei der Machtstellung Hackerts, nicht rechnen und mußte sich mit vereinzelten Bestellungen begnügen. So gab der waidfrohe König, wie er seine Passion des öfteren von Hackert verewigen ließ, auch ihm den Auftrag, ihn im Kreise seiner Jagdgesellschaft

---

[1]) Meusel: Museum für Künstler und für Kunstliebhaber. Mannheim 1787 ff. VI, S. 94.

zu porträtieren. Wo diese höfischen Bildnisse sich heute befinden, wurde mir, trotz mancher Nachforschungen nicht bekannt, doch hoffe ich, daß Neapler Kunsthistoriker sie noch entdecken.[1])

In engeren Konnex als zu der königlichen Familie trat Tischbein zu den auswärtigen Gesandten. Besonders der englische Gesandte Lord Hamilton zog ihn in sein Haus, das eine Pflegestätte von Kunst und Wissenschaft und der Mittelpunkt des englischen Adels war, der in Neapel dauernd oder vorübergehend weilte. Hamiltons Geliebte, Emma Harte, berühmt durch ihre mimischen Darbietungen, fesselte vor allem Tischbeins physiognomischen Sinn. „Sie hatte die Züge ihres Gesichts so in der Gewalt, daß sie die Leidenschaften und Empfindungen aufs deutlichste ausdrücken konnte. In Leid und Freude war die Lebhaftigkeit und Wahrheit gleich stark," rühmt er in seinen Lebenserinnerungen von ihr.[2]) Kein Wunder, daß sie, in der das Charakteristische und das Schöne einen so engen Bund geschlossen hatten, das begehrte Modell aller Maler war. Wie sich die Vigée-Lebrun und Reynolds, vor allem aber Romney an ihr versuchten, so wurde sie Tischbein ein willkommenes Studienobjekt. Saßen sie, der Lord und Tischbein im vertraulichen Gespräche zusammen, so nahm der Künstler den Zeichenstift zur Hand und skizzierte sie in jeder

---

[1]) So hat E. Zaniboni für sein Werk: L'Italia alla fine del secolo XVIII nel „Viaggio" e nelle altre opere di J. W. Goethe, dessen erste Lieferung in Neapel 1907 erschienen ist, Material über Tischbeins Aufenthalt in Neapel gesammelt, das, mir freundlichst zugesagt, bis zur Drucklegung dieser Arbeit leider nicht eingetroffen ist.   [2]) II, S. 104.

Sauköpfe   □   Aus den „Têtes de différents
Radierung (A. 111)   animaux . . .“ von 1796   □
Nach einer Originalaufnahme von Wilh. Oncken in Oldenburg

Hasenkopf   □   Aus den „Têtes de différents
Radierung (A. 117)   animaux . . .“ von 1796   □
Nach einer Originalaufnahme von Wilh. Oncken in Oldenburg

erdenklichen Attitude. Hamilton nahm diese Zeichnungen an sich, und so sind sie, wenn nicht vernichtet, in England zu finden. Man darf vor dem Porträt, das im Wittumshaus von Weimar hängt, nicht an die entzückenden Bildnisse Romneys denken, die das Zärtliche, Kätzchenhafte ihres Gesichts so reizvoll wiedergeben; ihnen gegenüber ist Tischbeins Bild von auffallender Plumpheit. Für Grazie hatte der Klassizismus seiner Zeit alles Gefühl verloren. Im Wittumshaus findet sich auf einem Teetisch noch einmal ihr Porträt. Es ist dies eine Kopie des als „Spinnerin" bekannten Romneyschen Bildes, doch vielleicht von Tischbeins Hand.

Mehr als zu Porträts regte ihn Emma Harte zu Bildern antiken Inhalts an. Nach ihr malte er seine Andromache, da sie Hektor anfleht, sich für sie und ihr Kind zu schonen, nach ihr die Begegnung Orests mit Iphigenie, die als Illustration zu Goethes Schauspiel von Bedeutung ist.

Prinz Christian von Waldeck, mit dem Goethe in Italien verkehrte, gab ihm den Auftrag zu diesem Werke, das nach des Prinzen Tode in das Schloß seines Bruders, des regierenden Fürsten von Waldeck, nach Arolsen kam. Einige Skizzen dazu sind im Goethemuseum, die interessanteste, darin Orest Goethe ähnelt — einst in Händen der Dichterin Friederike Brun — ist noch heut im Besitz der Familie Brun in Kopenhagen.[1]) Das fertige Bild hat die Eigentümlich-

---

[1]) Und nicht verschollen, wie in einer Notiz Rulands im Goethe-Jahrb. I. S. 323 zu lesen. Vgl. Bobé in der Deutschen Rundschau 1904/5 No 15, S. 217.

keit, daß alle Köpfe auf Emma Harte zurückgehen. Sie erscheint als Orest, der in sich hineinschaudernd vor dem Opferaltar steht, als Iphigenie, die mit gefühlvollem Blicke den Bruder stürmisch begrüßt, und selbst als die zwei schönen Furien, von denen nur der Kopf sichtbar ist und die Hände, die in den eigenen Haaren wühlen. Die Gesichter zeigen die gleiche Plumpheit wie das Weimarer Porträt. Bei der rechten Furie spielt eine Erinnerung an die Medusa Rondanini mit, die ja in Rom im Palazzo Rondanini seiner Wohnung gegenüberstand. Auch sonst fehlt es nicht an antiken Entlehnungen, wie z. B. Orests Gewand, das sich im Bogen von der rechten Schulter bis über die Oberschenkel hinzieht und den Torso fast unbedeckt läßt, auf die Mutter- und Sohngruppe des Menelaos zurückgeht (Museum Boncompagni), die er wohl als Orest und Iphigenie gedeutet hat. Trotz dieses eklektischen Verfahrens ist das Bild weit erfreulicher als der Konradin; das braune, flatternde Gewand der Furien, das tiefe Blau des Himmels und das kräftige Rot des Mantels erregen eine starke äußere Wirkung.[1])

Ging er in diesem Bilde auf römischen Bahnen fort, wenn man nicht etwa annimmt, daß Orests Horchen auf Erscheinungen sein Vorbild in Reynolds' Porträt der Mrs. Siddons als tragische Muse hat, das im Stiche von Haward zu Tischbeins Kenntnis gelangen konnte, so sprechen andere Neapler Werke deutlich von einem englischen Einschlag, der durch

---

[1]) Das Werk ist abgeb. bei Graevenitz; Goethe unser Reisebegleiter in Italien, Berlin 1904.

114

die Betrachtung von englischen Kunstwerken und den ausgedehnten Verkehr mit Engländern zu erklären ist. Lesen wir z. B. die Beschreibung, die Tischbein von dem Porträt der Tochter des Herzogs von Argyle, Charlotte Campbell, gibt, — das Bild ist in englischem Privatbesitz zu suchen — so denken wir unwillkürlich an englische Porträts des 18. Jahrhunderts. Er malte sie unter einem Baume sitzend, eine Notenrolle auf dem Schoß, wie sie mit aufgehobenem Arm einen Zweig herniederbeugt, um einen Hirsch zu füttern.

Anschaulicher wird der englische Einfluß bei dem bekannten Porträt der Herzogin Amalia von Weimar. Als die Herzogin im Januar 1789 nach Neapel kam, sprach Tischbein öfters bei ihr vor; er besuchte sie sodann in Rom, aber erst bei ihrem zweiten Aufenthalt in Neapel, im Sommer 1789, begann er sie zu malen. Vor dem Bilde mag er die fast lebensgroße Kreidezeichnung des Kopfes versucht haben, die seit kurzem im Besitz des Schwäbischen Schillervereins in Marbach ist.[1]) Der zarte, flüssige Strich und die Lebhaftigkeit des Ausdrucks stellen diese Zeichnung dem fertigen Bilde gleichwertig gegenüber. Gab Tischbein in der Zeichnung den Kopf en face, so setzte er ihn im Bilde streng ins Profil. Amalia sitzt vor dem Grabe der Priesterin Mammia am Eingange von Pompeji, auf einer antiken Steinbank, die der Herzogin so gut gefiel, daß sie für eine Nachbildung derselben im Weimarer Parke Sorge trug. Aber außer dieser Beziehung fehlt all die Geheimniskrämerei, deren das

---

[1]) Abgeb. im Auktionskatalog von C. G. Boerner in Leipzig LXXXV, No. 910.

Goethebild voll ist. Die Strenge der Komposition ist, mit Ausnahme des Kopfes, erleichtert. Dazu das malerische Kostüm mit dem großen Strohhut, den die Herzogin in der Hand hält, sowie die Landschaft des Hintergrundes: alles erinnert an englische Porträts. Selbst die Farbengebung ist gefälliger, englischer. Das zitrongelbe Kleid, das grauschwarze Band des Hutes und der Kleidschärpe, das Braun der antiken Bruchstücke und des Bodens, abgestimmt zu einem blaugrünen Himmel, geben eine wohlerwogene Harmonie, die bei Tischbein nicht häufig anzutreffen ist.[1])

Der englische Einfluß wurde in späteren Jahren noch stärker; einzelne Porträts, wie das der Christine Westphalen, würde man John Hoppner zuschreiben wollen, einige seiner idyllischen, kinderreichen Szenen bei George Morland suchen. Nicht in der Unselbständigkeit Tischbeins ist der Grund dieses Einflusses zu suchen, sondern in der Verwandtschaft seines Charakters mit englischer Eigenart. Die Liebe zum Natürlichen und Ländlichen, mit dem starken Zusatze von Moralität, machte den Schüler der Holländer auch für alles Englische empfänglich.

Inwieweit andere in Rom und Neapel weilenden Künstler von englischer Kunst befruchtet wurden, wäre der Gegenstand einer lohnenden Untersuchung. Angelika Kauffmann holte sich ihre Anregung in England selbst, Füger, der sich 1781—1783 in Neapel aufhielt, scheint, ganz wie Tischbein, durch engli-

---

[1]) Das Porträt ist abgeb. bei Ruland-Held: Die Schätze des Goethe-Nationalmuseums, Weimar und Lpzg. 1887.

schen Umgang die starke Einwirkung erfahren zu haben, die sich auf seinen Miniaturen so deutlich ausspricht.

3. Tischbein als Akademiedirektor.

In Goethes Bearbeitung der Notizen des Malers Hackert läßt sich dieser von Tischbein erzählen: „Der König von Preußen hat mir 1000 Rthlr. anbieten lassen, wenn ich will nach Berlin kommen und die Direktor-stelle der Akademie einnehmen." Gemeint ist der 1787 durch den Tod Christian Bernhard Rodes freigewordene Posten. Aus der verwunderten Antwort, warum jener nicht mit beiden Händen zugegriffen habe, geht her-hervor, daß Hackert Tischbeins Worten nicht vollen Glauben schenkte. Nicht ganz mit Unrecht, denn es ist wirklich kaum einzusehen, was Tischbein dazu be-wegen konnte, diese ehrenvolle Berufung auszuschlagen, man müßte denn gerade annehmen, daß er sich den in Kürze freiwerdenden Direktorposten der Neapler Aka-demie vorzog, weil er ihm ermöglichte, in Italien zu bleiben.

So leicht wie Venuti sich dieses Unternehmen dachte, als er Tischbein dazu bewog, seinen Aufent-halt in Neapel zu nehmen, war es nun freilich nicht. Zwar trat 1789 der längst erwartete Tod des Direktors Bonito ein, und Tischbein bewarb sich ordnungsgemäß um die ledige Stelle, aber es schien anfangs, als würde er den gegen die Deutschen angesponnenen Intrigen weichen müssen. Endlich faßte man den Entschluß, einen Wettbewerb zu veranstalten, zu dem sich außer ihm nur der achtzigjährige Domenico Mondo bereit erklärte.

Als Aufgabe wurde ein Stoff aus der römischen Geschichte gestellt: Masinissa, da er Sophonisbe gefangen nimmt. Tischbein war dies Thema durch sein römisches Sophonisbebild nicht ganz fremd. „Ich suchte Masinissa einen Ausdruck zu geben, der die Größe und Würde dieses bedeutenden Menschen verraten sollte; den Stolz des siegreichen Königs gepaart mit dem befriedigten Gefühle, sich an dem Feinde gerächt zu haben, der ihn dereinst seines Reiches beraubt, noch gesteigert durch das Bewußtsein, eine schöne jugendfrische Königin zu seinen Füßen zu sehen," so schildert er selbst die Hauptperson des heute verschollenen Werkes.[1]) Masinissa, zu dessen Körper er sich von einer antiken Kamee anregen ließ, war von seinen Soldaten, Sophonisbe von ihren Frauen umgeben.

Dieses an Ausdruck überreiche Werk, das nach der Beschreibung nichts Gutes vermuten läßt, gewann ihm den Preis; doch wurde er ihm, infolge neuer Intriguen, nicht zuerkannt. Er mußte — in seiner Selbstbiographie macht er daraus ein Wollen — das Amt mit seinem unterlegenen Mitbewerber teilen, sodaß der Gehalt für jeden nur 300 Dukaten betrug. Erst Mondos Tod gab ihm den Ruhm, als Deutscher an der Spitze einer italienischen Akademie zu stehen, in diesem kosmopolitischen Jahrhundert, da ein Mengs

---

[1]) Übers. n. der italien. Beschreibung, die er der Akademie einreichte. Sie ist veröffentlicht i. d. Aufs. v. A. Borzelli: L'accademia del disegno a Napoli (Napoli nobilissima 1900, S. 141 ff).

Präsident der römischen Akademie von San Luca wurde (1771), kein alleinstehender Fall.

Dieser Posten ist äußerlich wie innerlich ein Haltepunkt in Tischbeins Leben. Äußerlich, indem er ihm endlich eine unabhängige Stellung verlieh, die seinen rastlosen Wandertrieb beendete, innerlich aber, indem er seiner regen Entwicklung ein Ziel setzte. Bis dahin sahen wir Tischbein, vermöge seiner erstaunlichen Empfänglichkeit, immer neuen Eindrücken sich hingeben und sich nach ihnen wandeln; jetzt ist der Augenblick gekommen, wo er seine reichen Erfahrungen anderen mitteilen kann, wo aus dem Empfangenden ein Gebender wird.

In der Entwicklung der Neapler Akademie bedeutete diese Berufung eine Umwälzung. Neapel hatte von der Stilreinigung, die sich durch Battoni und Mengs in Rom durchgesetzt hatte, noch nichts erfahren. Hier herrschte weiter die barocke Malweise des Solimena (1657—1747), der durch grelle Lichteffekte ohne genaue Zeichnung die Augen blendete. Seine Schüler waren die Professoren der Akademie und lehrten, wie man an einem Abend ein ganzes Bild mit erfundenen Proportionen skizzieren könne — „alla Solimenesca" nannte man das[1] —; von einer reinen, genauen Zeichnung wußten sie nichts. Diese Errungenschaft, die leider stets auf Kosten der malerischen Haltung gepflegt wurde, brachte erst Tischbein. Damit seine Schüler ständig antike Werke, wie den Farnesischen Stier, vor Augen hätten, verlegte er die

---

[1] Vgl. B. Croce: Dalle memorie del pittore Tischbein, in der Ztschr. Napoli nobilissima 1897, S. 98.

Akademie von S. Carlo a Mortello nach dem Palazzo degli Studii.

Zum genaueren Studium ließ er sich aus Rom durch des Bildhauers Trippel Vermittelung Gipsabgüsse nach antiken Statuen senden, die in Neapel noch ganz unbekannt waren. „Sie können sich kaum die Freude vorstellen," schreibt er beim Empfang einer Sendung an Trippel, „welche ich hatte, die Sachen in dem großen Stil wiederzusehen, welches man hier nicht gewohnt ist."[1]) Nach ihnen und nach schönen Modellen — für größere Kompositionen wurden Vasenbilder herangezogen — ließ Tischbein seine Schüler zeichnen und sah vor allem auf Proportioniertheit und den reinen Kontour. „Man muß oft dem Modelle sagen, daß es sich bewege, damit man sieht, woher der Muskel komme, oder wie die Knochen der Gelenke sich bewegen;"[2]) dieser Satz aus seiner Selbstbiographie diene als Probe dafür, daß es ihm an pädagogischen Ideen nicht fehlte. Um die Zeichner noch mehr anzufeuern, las ein Schüler während der Arbeit Verse aus der Ilias und der Odyssee vor.

Die Schüler, welche bei ihm und den von ihm angestellten Lehrern ihre Ausbildung genossen, sind heute vergessen; der talentvollste von ihnen, Francesco Antonio Lapenga, starb eines frühen Todes. Erwähnung verdient außerdem Tito Lusieri. Ihm gab Hamilton den Auftrag, die Aussicht, die er von seinem Balkon genoß — es handelt sich jedenfalls um die Sommerwohnung auf dem Pausilipo — zu malen, eines

---

[1]) Abgdr. b. Vogler: Der Bildhauer A. Trippel l. c. S. 32.
[2]) II, S. 22.

120

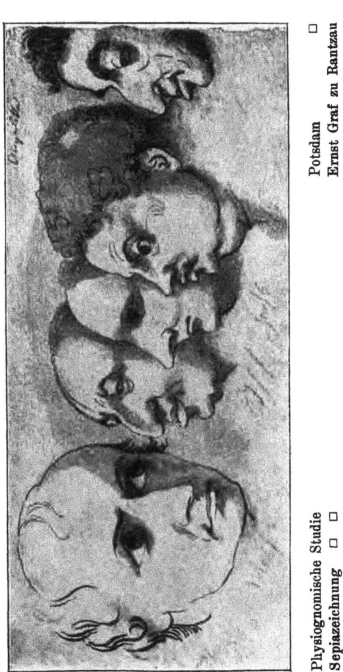

Physiognomische Studie
Sepiazeichnung □ □

□
Potsdam
Ernst Graf zu Rantzau

der ersten Panoramabilder, die damals eben auftauchten. Auch Wilhelm Morghens ist zu gedenken, der sich zum Direktor der neugegründeten Neapler Kupferstecherschule aufschwang und schließlich Luigi Hummels, der zu Tischbein in freundschaftliche Beziehungen trat und ihm nach Deutschland folgte.

4. Vergleichende Tier- und Menschenstudien.

Wenn Tischbein seinen Schülern menschliche Charaktere erklären wollte, deren Studium in jener Zeit einem Historienmaler unentbehrlich schien, so zog er zum Vergleiche öfters Tierköpfe herbei, bei denen er die Charakterzüge, die beim Menschen sich nur vereint fanden, gesondert und in stärkerer Ausprägung nachweisen konnte. Der Gedanke der vergleichenden Menschen- und Tierstudien war im 18. Jahrhundert gang und gäbe und Tischbein, dessen Liebe zu Tieren früh geweckt war, lag er besonders nahe. Reiche Anregung dazu mag er in Zürich empfangen haben, als er in Lavaters Physiognomischen Fragmenten die prächtig gezeichneten Tierköpfe Schellenbergs betrachtete. Lavater freilich wehrte sich aus religiösen Gründen gegen eine allzu nahe Verwandtschaft zwischen Mensch und Tier, aber hier in Zürich, wo sich Tischbein in Winckelmanns griechische Kunstgeschichte vertieft haben mag, konnte er die Beobachtung lesen, daß selbst einige griechische Götterköpfe an Tiere gemahnten, der Zeus von Otricoli an einen Löwen, der Farnesische Herkules an einen Stier.[1]

---

[1] Winckelmann l. c. Buch IV, c. 2, § 40.

In Neapel, dem Geburtsort Giambattista della Portas (1540—1615), der mit seinem vierbändigen Werke „De humana physiognomia" diese Studien eingeleitet hatte und nun von Tischbein eifrig gelesen ward, nahm er Winckelmanns Anregung auf und suchte sie durch ein Werk auszubauen, in dem er gezeichnete Köpfe von Göttern Tierköpfen gegenüberstellte. Er begann damit, jedem Menschen, der ihm in den Wurf kam, seine vermeintliche Tierähnlichkeit ins Gesicht zu sagen und Matthisson erzählt davon die Anekdote, „daß er eines Tages den Dr. Domeier heftig beim Arm ergriff und sich also gegen ihn erklärte: Nein, lieber Freund, Sie sind doch kein Hund, das war ein verzweifelter Irrtum! Sie sind ein Ochse."[1] Daß diese Offenheit zuweilen falsch gedeutet wurde, beweist Philipp Hackert, der Tischbein seine Freundschaft kündigte, weil dieser ihn mit einem Fuchse verglich, und sich eifrig revanchierte, indem er die Ähnlichkeit Tischbeins mit einem Straußenkopfe hervorhob, die übrigens in der Tat vorhanden ist.

Im Jahre 1796 gab er in Neapel das Resultat dieser Studien heraus in einem Radierwerke, das den Titel führt: „Têtes de différents animaux déssinées d'après nature, pour donner une idée plus exacte de leurs caractères". Der erste Teil enthält sechzehn Tierstudien, die von dem Kampf einer Riesenschlange mit einer Löwenfamilie, dem sog. „tierischen Laokoon"

---

[1] Matthisson: Erinnerungen Bd. V, Zürich 1814, S. 296. Hierbei sei bemerkt, daß das Bildnis Matthissons (i. Bes. d. Kommerzienrats Schoch, Hildesheim), das Könnecke i. s. Bilderatlas l. c. S. 335 i. Stich v. Arnd wiedergibt, von Friedr. Aug. Tischbein herrührt.

(A. 109), eingeleitet werden, einer bereits erwähnten Erinnerung an Ridingers „Kämpfende, reißende Tiere". Der zweite Teil zeigt eine bunte Auswahl von acht Männer- und Götterköpfen, deren Ähnlichkeit mit Tieren besonders auffallend ist. Da sieht man den löwenähnlichen Michelangelo, den tigergleichen Caracalla, den hundeköpfigen Scipio, den Kopf Correggios, der an ein Schaf oder Pferd erinnert; und selbst Jupiter und Apollo mußten an ihre Tierähnlichkeit glauben.

Der Lehrzweck dieser Köpfe ist heute ausgeschaltet; um so reiner kann man ihren künstlerischen Gehalt genießen. Und dieser ist so groß, daß er das Werk zu Tischbeins besten Schöpfungen zählen läßt und ihm einen Platz in jeder Geschichte der graphischen Künste anweist. Am besten gelangen die Tiere. Freilich ist die Absicht, sie menschenähnlich zu machen, zuweilen gar zu deutlich, aber es erhöht das noch ihre Lebendigkeit. Das Gattungscharakteristische ist mit besonderer Schärfe gesehen und mit blendender Technik wiedergegeben. Die zwei Sauköpfe (A. 111), die drei Füchse (A. 112), der Eselskopf (A. 119) und der des Hasen (A. 117), den man Dürer an die Seite stellen möchte, seien besonders erwähnt. Die Menschenköpfe sind lange nicht so brillant, mit einer Ausnahme, dem prächtigen Michelangelokopfe. Tischbein hat diesem Werke später noch sechs Tier- und einige Männerköpfe hinzugefügt.

Diese Radierungen wurden der Ausgangspunkt für eine immer intensivere Beschäftigung mit Tieren und Menschen, die mehr und mehr einen wissenschaftlichen Charakter annahm. Tischbein fand längst kein Genüge

mehr an einem nur künstlerischen Berufe; diesen viel-
seitigen Menschen trieb es, wohl noch durch Goethes
Universalität dazu angespornt, neue Felder für seinen
Betätigungsdrang zu suchen.

„Sie sollen sehen," heißt es im Entwurf eines
Altersbriefes an Goethe, „wie ich bei den unbedeutend-
sten Geschöpfen, die doch mechanische Künste besitzen, meine Untersuchung über den Menschen ange-
fangen habe, und bin vom Insekt stufenweise höher
durch alle Tierarten in diese Höhe gestiegen bis zum
Menschen; und ich finde, daß ein Übergang von den
vollkommeneren Tieren im Menschengeschlecht liegt;
und alle Kunstfähigkeiten, welche die Tiere einzeln
besitzen, die alle liegen in der Gesamtheit im Menschengeschlecht."[1])

Wie sich die vollkommeneren Tierarten unter das
Menschengeschlecht verteilen, darüber unterrichtet ein
Brief an die Herzogin Amalia: „Das Menschengeschlecht besteht aus vielerlei Arten, in ihnen sind
viele Urgeschlechter, die sich aber miteinander ver-
mischen; daraus entsteht eine Art, die unzählig sind;
doch sind sie abzusondern. Der größte Unterschied
ist der, welche die Ähnlichkeit haben mit den Tieren,
welche sich von Kräutern nähren, und die, welche sich
von Fleisch nähren."[2]) Die an kräuterfressende Tiere
gemahnenden Physiognomien sprechen für Gesellig-
keit, Sanftmut und bestimmteres Denken, die an fleisch-
fressende gemahnenden für Melancholie und Jähzorn,
jedoch für ein bildlicheres Vorstellungsvermögen.

---

[1]) Brief von 1821. Abgdr. b. v. Alten l. c., S. 41 f.
[2]) Brief v. 1796. Abgdr. ebenda l. c. S. 67 f.

Innerhalb der Tiere selbst gab er eine bis ins Einzelne gehende Tierpsychologie. Der Ochs war ihm der Vertreter der Halsstarrigkeit, das Schwein der Heftigkeit und Genußsucht, die Ziege des Eigensinns. Besondere Beachtung schenkte er den Hunden und schrieb um 1800 ein Buch über ihre Rassen, das nie zum Druck kam.[1]) Seine vergleichenden Studien legte er in einem Werke: „Zu Menschen und Tieren" nieder, das gleichfalls Manuskript blieb.[2])

Die Beurteilung dieser Ansichten, die zum Teil an Blumenbachs Rassentheorien erinnern, zum Teil wie eine Vorstufe zur Deszendenztheorie anmuten, bleibt dem Naturforscher vorbehalten; für die günstige Aufnahme, die sie zu Tischbeins Lebzeiten genossen, spricht die Tatsache, daß der große Anthropologe Blumenbach ihnen viel Interesse entgegenbrachte. Ja, als Tischbein um das Jahr 1800 in Göttingen weilte, entwickelte sich zwischen beiden ein freundschaftlicher und wissenschaftlicher Verkehr, der auch nach ihrer Trennung weiter gepflegt wurde. Im Jahre 1806 trat Tischbein auch mit Franz Joseph Gall in Verbindung, um von Wien aus Kunstblätter zur vergleichenden Physiognomik herauszugeben. So nimmt es auch nicht wunder, daß ihm 1811 der Freiherr v. Seckendorff in Eutin seine Aufwartung machte, der als Impresario seiner Gattin, der Hendel-Schütz, der Nachfolgerin Lady Hamiltons, reiste. Für v. Seckendorffs Werk über Deklamation und Mimik[3]) zeichnete er einige Köpfe,

---

[1]) Das Manuskr. i. Bes. d. Familie Strack, Grunewald b. Berlin.
[2]) J. Bes. d. Großherzogl. Privatbibl. Oldenburg.
[3]) Braunschweig 1816, II.

besonders gelungen einen Jüngling, der an heftigen Zahnschmerzen leidet (Tab. 2).

Neben derlei wissenschaftlichen Studien und Zeichnungen gingen Zeit seines Lebens rein künstlerische, besonders die prächtigen Tierstücke, die leider nicht genügend bekannt sind. Meistens sind es lebensgroße Köpfe von Raubtieren, zum Teil in Gouachetechnik, die aus den Hamburger Jahren stammen, z. B. der prachtvolle Kopf eines Auerochsen in der Oldenburger Privatbibliothek, dann aber alle Arten von Enten, Hühnern, Schmetterlingen und Fischen.[1]

Auch der Tierfabel näherte er sich und entwarf etliche bunte Skizzen zum Reineke Fuchs[2] sowie zwölf Zeichnungen zu Stichen für eine englische Übertragung des Soltauschen Buches, von dem aber nur eine einzige als Titelkupfer der Ausgabe von 1823 veröffentlicht wurde. Diese humoristischen Tierzeichnungen lassen sich aus einer romantischen Neigung Tischbeins erklären, deren Vorhandensein schon früher bemerkt wurde; der romantische Wilhelm Kaulbach hat ihnen in seinen Bildern zu Goethes Tierepos eine würdige Fortsetzung gegeben, wohl ohne von Tischbein direkt beeinflußt zu sein. Goethe hat die mit zunehmendem Alter wachsende Vorliebe des Malers für Tierstücke

---

[1] Schöne Tierköpfe schenkte Tischbein seinem Hamb. Freunde Dehn. Nach dem Tode von dessen Sohn, Prof. Dehn, wurden sie versteigert. Vgl. die Antiquitätenztg. 1902, No. 31. Prächtige Tierköpfe auch im Bes. d. Goethehauses, Weimar; eine Federzeichnung (2 Kälber) i. d. Hamb. Kunsthalle; die Zchng. eines Hirsches bei Herrn Prof. Rich. Foerster, Breslau; das meiste in der Oldenburger Privatbibl.

[2] Im schon genannten Oldenb. u. Weimarer Besitz.

zu dem scherzhaften Vergleich veranlaßt, Tischbein sei ein „rückschreitender Jehovah; erst habe er Menschen gemalt, nun male er Tiere".[1])

5. Tischbein als Archäologe.

a) Das Vasenwerk. 🔲 🔲 🔲 🔲 🔲 🔲 🔲

Wie Tischbein die Tiere erst als Objekte seines Pinsels, sodann seiner Forschung ansah, so dienten auch die antiken Denkmäler am Anfang als Modelle für seine künstlerischen Studien, erst später erregten sie sein wissenschaftliches Interesse. Schon in Rom war dieses Interesse in ihm erwacht. Sein Verkehr mit dem Steinschneider Pichler sowie die täglichen Funde antiker Steine gaben ihm die Gelegenheit zu einer eigenen Sammlung, deren Zweck er wissenschaftlich begründet: „Denn sie sind oft Abbildungen einzelner Bilder und Statuen großer Meister, die zum Teil verloren gegangen, zum Teil ganz oder auch verstümmelt zu uns gekommen sind."

In Neapel fand Tischbein sodann die nötige Muße zur Erweiterung seiner Studien. Das Gebiet, auf das sich hier in der zweiten Hälfte des 18. Jahrhunderts das gesamte archäologische Interesse konzentrierte, weit stärker als auf die Plastik, waren, gemäß ihren Fundorten in Campanien, die antiken Vasen. Man hatte sie anfangs als die rohen Erzeugnisse etruskischer Kunst gering geachtet, und erst die Erkenntnis, daß man es mit echten griechischen Werken zu tun

---

[1]) Riemer: Mitteilungen über Goethe, II, Berlin 1841, S. 677.

habe, hatte ihren Wert gesteigert. Winckelmanns Wort: „diese Gefäße sind, wie die kleinsten, geringsten Insekten die Wunder der Natur, das Wunderbare in der Kunst und Art der Alten," . . . „Eine Sammlung derselben ist ein Schatz von Zeichnungen"[1]) hatte die Leidenschaft der Sammler noch gesteigert.

Der bedeutendste Käufer dieser Vasen in Neapel war Tischbeins Freund, der Lord Hamilton. Er hatte schon 1766 eine Sammlung angelegt, die d'Hancarville in einem vierbändigen Prachtwerke herausgab,[2]) bevor er sie dem Britischen Museum verkaufte. Die 1789 bis 1790 erfolgte Aufdeckung großer Grabstätten in Campanien und Sizilien, die täglich die schönsten Vasen ans Tageslicht förderten, regten ihn zu einer neuen Sammlung an, und diesmal erbot sich Tischbein, sie in einem Werke zu veröffentlichen. Wie bei den geschnittenen Steinen, so erkannte er auch hier ihre große wissenschaftliche Bedeutung. Von den Attributen der Götter- und Heroenstatuen, die wegen ihrer leichteren Zerbrechlichkeit den ausgegrabenen Stücken meistens fehlten, wollte er durch Vasenbilder eine deutlichere Vorstellung vermitteln, vor allem aber, gemäß ihrem intimeren Charakter, von den Geräten des alltäglichen Lebens. Ferner erkannte er ihren hohen Wert für den Versuch einer Rekonstruktion der verlorenen griechischen Malerei.

Neben dem rein wissenschaftlichen Zwecke verfolgte Tischbein, wie mit den Tierstücken, einen pädagogischen. Er wollte seinen Schülern ein Werk in

---

[1]) Gesch. der Kunst d. Altert. III. Cap. 4, § 35.
[2]) Antiquités Etrusques, Grecques et Romains . . Naple 1766/67.

Fischstudie   □   Oldenburg

Tuschzeichnung von 1807   □   Großherzogl. Privatbibliothek

Nach einer Originalaufnahme von Wilh. Oncken in Oldenburg

die Hand geben, das sie zu der Reinheit des griechischen Konturs sowie zur Einfachheit und Klarheit der Komposition heranbilde. Diese Absicht gebot zugleich, dem Werke nicht den Prachtcharakter der d'Hancarvilleschen Bände zu geben, sondern für eine einfache Ausstattung zu sorgen, die seinen Ankauf erleichterte.

Da es ihm hauptsächlich um eine genaue Umrißzeichnung zu tun war, so verwandte er hierauf die größte Sorgfalt. Jedes Vasenbild wurde mit Ölpapier durchgezeichnet, dann auf ein Papier gepaust und schließlich mit Bleistift kopiert. Um den Gesichtsausdruck genau wiederzugeben, wurden oftmals vier bis fünf Probezeichnungen gefertigt. Dann wurden sie Hamilton sowie dem Verfasser des Textes Italinsky und vielen andern Kennern vorgelegt, und erst nach ihrem Gutachten stach sie der Kupferstecher, der stets das Original vor Augen haben mußte. An den Platten wurde dann noch unermüdlich verbessert und manche verworfen. Man denke sich diese Mühe zur Herstellung von nicht weniger als 240 Stichen verwandt, und man wird Tischbeins Ausspruch berechtigt finden: „Hier darf ich in Wahrheit sagen, daß ich mich der Kunst aufgeopfert habe."[1]

Das Werk errang in ganz Europa großen Beifall, nur wurde Tischbein, besonders von der englischen Kritik, der Vorwurf gemacht, die altertümliche Einfalt des Stils der frühen Vasen durch seine eigene Zeichenmanier zerstört zu haben. Und mit Recht;

---

[1] Brief an C. A. Böttiger, in den Griechischen Vasengemälden. Weimar 1797, S. 61.

denn bei aller erstrebten Genauigkeit konnte sich Tischbein doch nicht enthalten, hier und da eine Verschönerung anzubringen. Von dem Glauben an die Vollkommenheit der Griechen in jedem ihrer Werke durchdrungen, hielt er es für sein gutes Recht, besonders die Zeichnung der Füße, die ihm nur vernachlässigt, nicht verfehlt erschien, zu verbessern.

Trotz dieser Einschränkung behalten die Zeichnungen ihren Wert, der dadurch gehoben wird, daß ihre Vorbilder beim Transport nach England durch einen Schiffbruch in Plymouth versanken. Wertlos dagegen ist heute der Text, den der russische Gesandte Italinsky, zuweilen nach Hamiltons und Tischbeins Angaben, zu den Stichen schrieb. Er teilte die damals aufkommende Anschauung, daß die meisten Darstellungen sich auf die Gebräuche der Mysterien bezögen, und sie gab ihm zu phantastischen Ausdeutungen reichlich Gelegenheit.

Hamilton widmete das englisch und französisch geschriebene Werk dem Präsidenten der Londoner Antiquarischen Gesellschaft, dem Earl of Leicester. Unter dem Haupttitel: „Collection of engravings from ancient vases, . . . in the possession of Sir W. Hamilton" kam der erste Band in Neapel 1791 heraus. Der zweite und dritte Band folgten 1795, der vierte 1803 (?).[1] Dieser Schlußband, der nach Tischbeins Abreise von Neapel erschien, scheint, nach seiner großen Seltenheit zu urteilen, nur in wenigen Exemplaren gedruckt

---

[1] Ein Exemplar d. IV. Bds. war nicht aufzutreiben; ich muß mich in der Feststellung seines Erscheinungsjahres auf die durchschnittlichen Angaben verlassen.

worden zu sein. Tischbein plante noch einen fünften Band herauszugeben, für den er etwa 100 Stiche, meistens nach seinen eigenen Vasen, vorbereitet hatte. Die Cottasche Buchhandlung erwarb sie, ohne sie erscheinen zu lassen; nur einige wenige kamen bei Tischbeins Homerwerk zur Verwendung.[1])

Der große Erfolg des Werkes veranlaßte den häufigen Nachdruck desselben. Schon 1803 erschienen die vier Neapeler Bände in einem Florentiner Nachdrucke der Chalkographischen Gesellschaft unter dem Titel: Pittrue di Vasi Antichi posseduti da sua Eccellenza H. Sig: Cav: Hamilton. Diese Florentiner Ausgabe war dem dänischen Baron Hermann von Schubart gewidmet. Ein französischer Nachdruck erschien, von Villers eingeleitet und erläutert, unter dem Titel: Recueil de gravures d'après des vases antiques tirés du cabinet de Mr. le chevalier Hamilton, Paris 1803—1809. In Deutschland begannen die Vasenbilder in Lieferungen als gesondertes Illustrationswerk zu dem von C. A. Böttiger geschriebenen Textbuche: „Griechische Vasengemälde" zu erscheinen unter dem Titel: „Umrisse griechischer Gemälde auf antiken in den Jahren 1789 und 1790 in Campanien und Sizilien ausgegrabenen Vasen, jetzt im Besitz des Ritters William Hamilton." Das erste Heft kam in Weimar 1797, das zweite ebenda 1798, das dritte in Magdeburg 1800 heraus. Es sind kaum zwanzig Stiche, die so veröffentlicht wurden, dann stockte das Werk.

---

[1]) Vgl. O. Jahn: Beschreibung der Vasensammlung König Ludwigs I. München 1854, S. X.

b. Das Homerwerk.

Während der Arbeit am Vasenwerke machte Tischbein die Beobachtung, daß sehr viele Themen der antiken Kunst aus dem Homer geschöpft seien. Er begann solche Werke von Vasen, Steinen, Bechern, Sarkophagen, Statuen und Reliefs abzuzeichnen und faßte schließlich den Gedanken, sie in einem Werke zu vereinigen. Der Gedanke war neu und wiederum wissenschaftlicher Natur. Hatte ein John Flaxman in seinen 1793 erschienenen Homerzeichnungen sich von der Ilias und Odyssee zu eigenen Schöpfungen anregen lassen, so genügte es Tischbein, die bezüglichen Kunstdenkmäler der Antike zu sammeln und sich selbst bescheiden im Hintergrunde zu halten.

Bei der großen Popularität, die Homer damals genoß, und bei der starken Anregung, die von ihm auf die künstlerischen Themen seiner Zeit ausging, hoffte er ein überall willkommenes Werk zu bieten. Er ließ hunderte von Stichen durch seine Schüler Hummel und Morghen und seinen Neffen Unger anfertigen, aber er fand in Italien dafür keinen Verleger. Schon erbat er sich vom Könige einen Reiseurlaub nach Deutschland zur Herausgabe seines Werkes, da führten ihn die veränderten Umstände ohnedies in sein Vaterland zurück, und er konnte nun seine Angelegenheit nachdrücklicher betreiben.

In Göttingen, wo er um 1800 weilte, fand er in dem Professor Christian Gottlob Heyne den Gelehrten, der den Text des Werkes übernahm, wie auch den Verleger Dietrich, der das Werk, freilich auf Tischbeins Kosten, herausgab. Es erschien nun seit 1801 in geschmackvoller Ausstattung — die großen, klaren Lettern wurden eigens für diesen Zweck gegossen — in Lieferungen zu je sechs Stück und einigen Vignetten, mit begleitendem Text unter dem Haupttitel: Homer nach Antiken gezeichnet von Heinrich Wilhelm Tischbein. Je ein Heft aus der Ilias wechselte mit einem Heft aus der Odyssee ab.

Nach der sechsten Lieferung (1804) stockte das Werk, obwohl es von der Kritik einmütig gelobt wurde. Tischbein war froh, als ihm 1819 der Cottasche Verlag seinen noch ungedruckten Vorrat von über 400 Kupferplatten und etwa 100 Zeichnungen für die bedeutende Summe von 9000 Talern abkaufte und damit die Fortsetzung des Werkes ermöglichte. So erschienen 1821 die siebente bis achte und 1823 die neunte bis elfte Lieferung mit begleitendem Texte von Dr. Ludwig Schorn; dann stockte das Werk von neuem.

Auch dieses Werk wurde durch Nachdrucke verbreitet. Villers, der Herausgeber des französischen Vasenwerkes und Tischbeins Freund, nahm sich auch des Homer an und gab vier Lieferungen davon heraus unter dem Titel: Figures d'Homère dessinées d'après l'antique par H. Guill. Tischbein. Avec les explications de Chr. Gottl. Heyne, Metz 1801—1802. Der Titel ist zu bescheiden abgefaßt, da Villers die Erklärungen Heynes, zum Teil nach Tischbeinschen Intentionen, bearbeitete. Eine englische Übersetzung fertigte Georges Tatter.

Betrachtet man die Kompositionen Tischbeins in seinem Homerwerke, so trägt man so gut wie gar keinen ästhetischen Genuß davon. Die langweilige Um-

rißzeichnung hat die Schätze der Antike derart um-
gestaltet, daß sie fast sämtlich wie Werke der klassizistischen Zeit wirken. Erfreulicher sind die charakteristischen Köpfe der homerischen Helden, besonders
des Diomedes (A 48), und eine vorzügliche Leistung
ist der radierte Polyphemkopf (A 59) nach einer Mar-
morbüste in Turin (Museo di Antichità), der in der
brillanten Technik an den besten Männerkopf der
„Têtes de différents animaux“, an das Porträt Michelangelos erinnert. Sehr schön sind auch die einge-
streuten Vignetten. In der vierten Lieferung brachte
Tischbein eine eigene Erfindung unter, ein hübsches
Landschaftsbild (A 58), auf dem guirlandenartig Wein-
ranken und Efeu eine Eichenallee verbinden.

Diese archäologischen Arbeiten trugen Tischbein außer der öffentlichen Anerkennung eines Wolf,
Heyne, Schütz, Böttiger, Millin das Ehrendiplom der
wissenschaftlichen Gesellschaft zu Nimes ein.

VII. Neue Wanderjahre 1799–1808. ◻ ◻ ◻ ◻

1. Die Reise nach Deutschland 1799—1808.

Tischbein hatte gezeigt, daß er die Stellung als Direktor der Neapeler Akademie wohl zu benutzen wußte. Seine Tierzeichnungen, sein Vasen- und sein Homerwerk hatten ihn einer mehr wissenschaftlichen als künstlerischen Tätigkeit zugewandt, und er wäre wohl auf diesem Wege fortgeschritten, hätten ihn nicht unerwartete Ereignisse aus seiner zehnjährigen Ruhe gescheucht.

Die Erstürmung Neapels durch die Franzosen (23. Jan. 1799) löste mit einem Schlage die Akademie auf und brachte ihn selbst in Lebensgefahr. Er mußte fliehen und bestieg mit seinem Schüler Hummel, dem Konsul Heigelin und den Brüdern Hackert am 20. März ein Schiff, um auf dem Seewege nach Livorno zu gelangen. Die Homerischen Kupferplatten sowie die Platten der Vasenbilder gingen mit, seine Bilder blieben zurück und konnten erst später folgen. Nach manchen Fährnissen erreichte er das Ziel der Seefahrt, schwer erkrankt, sodaß er sich im Lazarett von Livorno verpflegen ließ.

Nun begannen seine einstigen Irrfahrten von neuem. Zunächst wandte er sich, nach kurzen Aufenthalten in Stuttgart, Frankfurt, Hanau und Gießen, nach Kassel. Sein „Van-Looscher Onkel" war bereits verstorben, doch lebte dort sein Bruder Johann Heinrich d. j. Die alte Liebe zu den Holländern fand hier neue Nahrung, und er zeichnete ein kleines Tierbild: „Mutterschafe mit ihren Jungen".

Von Kassel ging er noch im Jahre 1799 nach Hannover. Hier und in Göttingen weilte er nun bis zum Jahre 1801 abwechselnd. Nach Göttingen zogen ihn, wie schon erwähnt, der Naturforscher Blumenbach und der Philologe Heyne, die ihm beide zu Porträts saßen.[1]) Im Oktober 1800 machte er dort die Bekanntschaft A. W. Schlegels.

In Hannover fand er am Grafen Münster einen Protektor, der ihn auf seine Studienreise durch Westfalen mitnahm. Mit ihm und dem Stecher Unger begründete Tischbein eine Zeichenakademie für Damen. Im übrigen verdiente er sich sein Brot als Porträtist. Das Provinzialmuseum von Hannover besitzt aus dieser Zeit, außer einem Selbstporträt des Malers, das Bildnis eines jungen Mannes, das freilich als Arbeit Wilhelm Tischbeins nicht beglaubigt ist. Die braunrote Jacke und Weste, die in der Farbe dem Rocke des Selbstporträts ähneln, sprechen für ihn, die übrige Buntheit und die geschwärzten unteren Ecken, die einen ovalen Abschluß vortäuschen, gegen ihn.

Ein starkes Ruhebedürfnis muß den Fünfzigjährigen erfaßt haben, als er sich endlich dazu entschloß, eine Familie zu gründen. Er wählte die Tochter

---

[1]) Auch Joh. Heinr. Tischbein hat Heyne portraitiert, 1776. Nach diesem Bilde existiert ein Stich von G. G. Geyser.

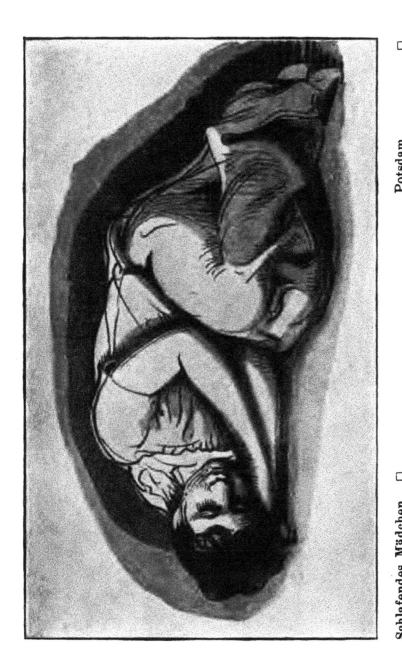

Schlafendes Mädchen □   Potsdam   □

Tuschzeichnung von 1806   Ernst Graf zu Rantzau

eines Hainaer Müllers, namens Kitting, zur Frau und suchte nun einen festen Wohnsitz in der Stadt seiner ersten Erfolge, in Hamburg.

2. Tischbein und das Hamburger Kunstleben.

Die klassizistische Malerei brauchte zu ihrer gedeihlichen Entwicklung besondere Lebensverhältnisse: Akademien, die dem Künstler durch Gipsabgüsse und Modelle die Kenntnis des schönen Menschen vermittelten, große Räume, in denen die riesigen Historien Unterkunft fänden, und wohlhabende Mäcene, die diese Bilder kauften. Alles das fehlte in Hamburg, und so kam es, daß der Klassizismus hier nur schwer Eingang fand, um 1800 aber noch fast unbekannt war. Von einem eigentlichen Kunstleben war überhaupt, abgesehen von dem Wirken der sogenannten Patriotischen Gesellschaft, wenig zu spüren. Diese Gesellschaft hatte seit 1778 eine Schule für Dekorationsmaler eingerichtet, die bei Tischbeins Eintritt in Hamburg 100 Schüler zählte.[1]) Ihr bedeutendster Lehrer war Gerdt Hardorff, und er war der Einzige, an den sich Tischbein anschließen konnte.

So kam der Künstler aus der Stätte großzügiger Wirksamkeit in kleinliche Verhältnisse, aber er gab den Kampf nicht so leicht auf. Wie Hardorff wollte er das Niveau, dessen er für seine ausgebreitete Tätigkeit bedurfte, sich selber schaffen. Auch er wollte eine Zeichenschule auftun, und noch in weit größerem

---

[1]) Vgl. Lichtwark: Herm. Kauffmann. München 1893.

Rahmen als die Patriotische Gesellschaft. Nicht nur werdende Maler, sondern auch Handwerker und schließlich jedermann sollten das Zeichnen lernen, dem er „einen mächtigen Einfluß auf die edlere Bildung des Menschen" zuschrieb.[1])

Dieser Gedanke, das Zeichnen als ein allgemeines Bildungsmittel zu betrachten, ist, wenn ich nicht irre, von Tischbein als erstem deutlich ausgesprochen worden; wie fruchtbringend er für das 19. Jahrhundert wurde, ist bekannt.

Wie in Neapel, so sollte auch hier ein Raum dem Zeichnen nach Gips dienen, ein anderer dem Zeichnen nach dem Leben. Das Aktzeichnen sollte am Abend gepflegt werden, damit auch diejenigen Schüler, die Tags über in anderen Berufen ständen, daran teilnehmen könnten.

Über den Kreis dieser Schule hinaus gedachte er sodann belehrend zu wirken durch die reichen Bilderschätze, die er in Italien gesammelt hatte und nun dem Publikum zugänglich machen wollte, „um dadurch den Kunstsinn in Hamburg zu wecken".[1]) Einem kleineren Kreise gedachte er an der Hand seiner Sammlungen kunstgeschichtliche Vorträge, besonders über das Wiedererwachen der Antike in Italien, zu halten.

Nur der geringste Teil dieser weitschauenden Pläne kam zur Ausführung. Ob er seine Schule jemals eröffnet hat, ist nicht bekannt; gewiß ist, daß er nicht die genügende Anzahl von Interessenten fand, um sie zu führen. Auch sein Vorschlag, der Senat möge die

---

[1]) Selbstbiogr. II, S. 216.
[2]) Ebenda II, S. 218.

Gründung einer solchen Schule in die Hand nehmen, fand keinen Anklang. So unterblieb wohl auch, schon aus Mangel an Raum, die Ausstellung seiner Kunstschätze, und nur die kleineren Zusammenkünfte zur Kunstbelehrung fanden statt. Am 12. Dezember 1803 vereinigte sich bei Herrn Pistorius eine gebildete Gesellschaft, die sich über die Kunst der Hochrenaissance unterrichten ließ. Wie oft diese Zusammenkünfte stattfanden, ist gleichfalls unbekannt.

Diese Versuche Tischbeins, ganz abgesehen von ihrem größeren oder geringeren Gelingen, geben ihm eine besondere Stellung in der Geschichte der Hamburger Kunst. Er muß mit Hardorff als einer der Führer genannt werden, die den Boden bereitet haben für die bald darauf zur Blüte gelangende Hamburger Malerei.

3. Hamburger Porträts.

Romantische Neigungen.　◪　◪　◪

„Seitdem ich entfernt vom italienischen Boden lebe, wo griechische Kunst den Freund empfängt und erwärmt, freue ich mich herzlich der sparsamen Blümchen, die auf dem nordischen Kunstfeld sich aufschließen; sie sind nicht von so hohem geläutertem Geiste, haben aber soviel natürliches und gemütliches Leben." Diese Worte, die Tischbein 1806 an die Herzogin Amalia schrieb,[1] kennzeichnen die Art, auf die sich Tischbein in Hamburg einrichtete. Sparsam war die Wohnung, die er im Gasthof „Zum römischen Kaiser" inne hatte, — seine Familie brachte er vor-

---

[1] Abgdr. b. v. Alten l. c., S. 98.

erst in einem Privatlogis unter — sparsam die Formate, die er zu seinen Werken wählte.

Nur in künstlerischer Beziehung waren sie reicher, als Tischbeins italienische Bilder, und hiernach zu urteilen bedeutet Hamburg wohl den Höhepunkt seines Schaffens. Hier entstanden ein Teil der Stilleben und Blumenstücke, die als Nachwirkung Goetheschen Beispiels bereits Erwähnung fanden, hier die gleichfalls schon genannten Tierstücke, hauptsächlich wohl im Sommer 1805, da auf dem Hamburger Berge wilde Tiere gezeigt wurden, hier schließlich eine Reihe vorzüglicher Porträts.

Wahrscheinlich begründete das Bildnis Klopstocks, das ihm 1802 von einem ungenannten Freunde des Dichters in Auftrag gegeben wurde, seinen Ruf als Bildnismaler. Der alte Klopstock war, wie einst Lavater oder Goethe, ein Charakterkopf, mit dem sich Tischbein intensiv beschäftigte. Er hat ihn gezeichnet, radiert und gemalt. Für die Beliebtheit des Bildes, das als letztes Porträt Klopstocks († 1803) seinen Verehrern besonders teuer gewesen sein mag, sprechen die vielen Kopien, die sich in Norddeutschland finden. Wo das Original hängt, konnte unzweifelhaft nicht festgestellt werden. Anspruch darauf machen sowohl das Porträt im Voßhause zu Eutin wie das Bildnis, das sein vorletzter Eigentümer, Herr Dr. Herbst aus Bremen, 1906 an das Klopstockhaus zu Quedlinburg verkaufte.[1]) Wohl möglich, daß Tischbein den alten Dichter zweimal gemalt hat, einmal für Klopstock, das andere Mal für

---

[1]) Dieses Bild habe ich nicht selbst gesehen.

sich selbst. So wird es zugleich erklärlich, daß Freunde Tischbeins das Bild 1806 und 1815 in des Künstlers Hause sahen.[1])

Ist dieses Porträt in seinen braunen und schwarzen Tönen noch ohne jeden koloristischen Reiz, so erfreuen einige spätere Bildnisse gerade vermöge ihrer malerischen Haltung. Zur Farbenfreudigkeit freilich konnte sich der an farblosen Statuen geschulte Künstler nicht mehr aufschwingen; ein Weiß, ein Schwarz und ein helleres oder dunkleres Braun geben die gewöhnliche Mischung, aber es gelingt ihm zuweilen, diese drei Farben zu einer diskreten Harmonie zusammenzustimmen.

In dieser Hinsicht ragt sein Bildnis des Lehrers an der Schule der Petrikirche, Dietrich Westphalen, hervor;[2]) meisterhaft ist sein Porträt der Dichterin Christine Westphalen, das, lange verschollen und nur im Stiche von Faber bekannt,[3]) erst von Lichtwark wieder entdeckt und 1898 für die Kunsthalle erworben wurde. Von den englischen Einflüssen, die auf Tischbein in Neapel wirkten und die, in Hamburg gewiß noch verstärkt, dieses Bild in die Nähe John Hoppners rücken, ist schon gesprochen worden. Sie zeigen sich besonders an der etwas impres-

---

[1]) Vgl. Römer im Neuen Deutschen Merkur 1806, Augustheft, S. 275; u. F. J. L. Meyer, Darstellungen aus Norddeutschland, Hamburg 1816, S. 358 ff.

[2]) Abgeb. b. A. Lichtwark: Das Bildnis i. Hamburg 1898, S. 43. Dort auch S. 44 d. Bildnis eines Mädchens mit Puppe.

[3]) Als solcher abgeb. b. Lichtwark ebenda S. 46. Eine Photographie des Bildes selbst im Illustr. Katal. der Berl. Jahrhdt.-Ausstellung I, S. 7.

sionistischen Technik, welche Tischbein, der sonst mehr zeichnete als malte, nur selten anwandte. Mit leichtem Pinsel ist das weiße Kleid und besonders der durchsichtig weiße Stoff des Ärmels gegeben, zu dem sich das Braun des Schreibtisches und das Grau der Wand vorzüglich stimmen. Ein Hauch des Biedermeiertums weht schon aus diesem Bilde. Mit wieviel rascherem Blicke als früher ist die Bewegung der Hände gesehen, die ein Buch halten, mit wieviel intimeren Augen die unbelauschte Haltung des Kopfes. Auch gewinnt das Zimmer als Hintergrund schon wieder einen besonderen Reiz. Solche bürgerlichen Porträts mag er noch manche in Hamburg gemalt haben; in ihnen hat Tischbein das Beste gegeben, dessen er fähig war.

Von weit geringerer Bedeutung sind die Porträts seiner schönen Kinder, die um 1805 beginnen und außerordentlich zahlreich sind. Man erkennt sie als Tischbeins an den pausbäckigen Wangen, dem schwärmerischen Ausdruck und den etwas speckigen Farben. Auch die vielen Frauenköpfe, die auf Tischbeins Gattin zurückgehen, sind ohne künstlerischen Wert.

Diese Kinder und Frauen figurieren auch auf einem größeren Bilde, das uns den Maler auf einem bis dahin fremden Gebiete, dem der religiösen Malerei, zeigt. Dem in Italien lebenden Klassizisten hatte die antike Welt die Themen zu Historienbildern geliefert, und Tischbein war nur ein Sohn seiner Zeit, wenn ihn die christlichen Bildstoffe nicht reizten. Konnte doch Heinrich Meyer den Satz schreiben: „Man betrachte die Dreieinigkeit samt und sonders, die geschlechtslosen Engel, die Heiligen und Märtyrer beiderlei Geschlechts, nebst allen übrigen Personagen, die in unseren religiösen Bilderkreisen figurieren, in Rücksicht auf die höheren plastischen Forderungen der Kunst genauer, und man wird finden, daß sie entweder gar nicht bildlich darstellbar oder unbestimmten Gehalts oder mit der Schönheit und dem Ideale unverträglich sind."[1]) Diese Meinung war freilich 1805, zur Zeit ihrer Niederschrift, keine bloße Behauptung mehr, sondern ein Protest des Klassizismus gegen die eben wieder aufkeimende religiöse Kunst.

Als ein Zeichen dieser Bewegung ist es zu nehmen, daß die Bremer Ansgariikirche dem berühmten Maler 1804 den Auftrag gab, ihr Altarbild zu malen. Das Thema war eine Illustration der Worte: Lasset die Kindlein zu mir kommen und wehret ihnen nicht. Außer den Porträts seiner Frau und seiner Kinder halfen Erinnerungen an antike Köpfe, an Raffaelische Gestalten, selbst an Michelangelos Sibyllen das Bild zusammenstellen. So wurde ein klassizistisches Werk daraus, das in der Komposition wohl den geübten Maler verrät, in der Empfindung hinter der Zartheit des Stoffes weit zurückbleibt.

Um so stärker spricht es für die wiedererwachte Liebe zur religiösen Kunst, wenn dieses Bild überall Begeisterung weckte. Man fand darin „eine Welt voll Schönheit, Andacht, Mutterliebe und kindlicher Unschuld, die man stundenlang betrachten muß, um jeden einzelnen Zug des Genies seines Schöpfers aus

---

[1]) Winckelmann u. s. Jahrhdt. l. c., S. 210.

ihm herauszufühlen", und ein begeisterter Kritiker sprach, nicht gerade geschmackvoll, von Christi Ant-litz: „Seine himmelschönen blauen Augen durch-bohrten die Herzen und müssen die Treue jedes Weibes wankend machen."[1]) Tischbein mußte das Bild in größerem Umfange für die Eutiner Schloßkirche ko-pieren, aus der es jüngst in das Magazin der Hamburger Kunsthalle gelangte. Die ganze Landbevölkerung der Umgegend wallfahrte damals in die Kirche, um sich an ihm zu erbauen. Außer diesem Altarbilde malte Tischbein noch eine heilige Familie, welche die Ham-burger Kunsthalle mit Recht verborgen hält, dann wandte er sich anderen Stoffen zu, in denen er glück-licher war.

Doch stand er der neu aufblühenden religiösen Malerei niemals feindlich gegenüber, wie eben Meyer. Als ihm sein Lübecker Freund Overbeck 1809 das erste Bild seines Sohnes Friedrich, den Lazarus, zeigte, da spendete er dem jungen Künstler das erste Lob und gab ihm reichliche Empfehlungen für seine Romfahrt mit.

Das Bremer Altarbild wie diese einem Nazarener gezollte Anerkennung legen die Frage nahe, wie sich Tischbeins Verhältnis zur Romantik gestaltet habe. Die einstige Sturm- und Drangperiode seines Lebens hatte ihm die Liebe zu den alten Deutschen und zur vorraffaelischen Kunst geschenkt, die ihn als einen Vorboten der Romantik erscheinen ließen. Diese Nei-gungen hatte der Klassizismus niemals ganz in den

---

[1]) Intelligenzbl. d. Jen. Allg. Liter.-Ztg. 1807, No. 76.

Bildnis der Dichterin   Hamburg
Christine Westphalen   .   Kunsthalle

Nach einer Originalaufnahme von F. Bruckmann in München

Hintergrund zu drängen vermocht; nun auf nordischem Boden regten sie sich von neuem. Und Tischbein freute sich viel zu sehr seiner Vielseitigkeit und Beweglichkeit, um ihnen nicht Raum zu gönnen.

Da waren es zunächst die Bildgedanken, die jetzt zuweilen einen geheimnisvollen Charakter erhielten. So malte er in Hamburg diese Szene: Eine Frau schält Kartoffeln, da bricht sich ein Sonnenstrahl an einer am Fenster stehenden Flasche, fällt auf die Kartoffel und läßt sie wie einen goldenen Apfel erglühen. Freilich hatte Tischbein diese Szene wirklich gesehen. Noch eigenartiger wirken manche seiner Zeichnungen in der Oldenburger Privatbibliothek, Baumwurzeln, die das Aussehen von Menschengesichtern tragen. In späteren Jahren bekamen dann einzelne Bilder der Idylle einen romantischen Zug.

Sodann brachten ihn seine Beziehungen zu romantischen Künstlern in die Nähe ihrer Kunst. Seiner Schüler in Göttingen, der Brüder Riepenhausen, ist schon gedacht worden; sollte ihnen, die 1806 einen Zyklus in vierzehn Platten: „Leben und Tod der heil. Genoveva" herausgaben, Tischbein die Anregung dazu gegeben haben? Bekannt mag ihm das Thema gewesen sein, schon durch den einstigen Verkehr mit dem Maler Müller, der diesen Stoff, lange vor Tieck, zu einem Drama verarbeitete. Solche Fragen werden lebendig vor einem außerordentlich schönen Genovevabilde, dessen Schöpfer unbekannt ist.[1)]

Dargestellt ist die Szene, da Graf Siegfried Geno-

[1)] Sammlung Muther, Breslau.

veva wiederfindet. Der Gesichtstypus der Mutter, die
schwebende, von beflügelten Kindern begleitete Fee,
der Rosenstrauch, der an der Höhle emporklettert,
die duftige Landschaft des Hintergrundes, alles erinnert an Tischbeinsche Bilder. Man denkt an die
schwebenden Gestalten des später entstandenen
Idyllenzyklus, an die Höhle eines Bildes in Hamburg,
auf dem ein Tiger einen schlafenden Schäfer über-
rascht, vor allem an die duftige Landschaft auf dem
Porträt seiner Tochter Angelika, das gleichfalls die
Hamburger Kunsthalle besitzt.[1]) Und doch liegen in
den tiefen, satten Farben des Werkes, in der leisen
Geste des erstaunten Grafen Züge, die Tischbein fremd
sind. Hätte er, der glühende Charakteristiker, diese
Szene nicht ausdrucksreicher gestaltet; hätte er sich
mit einer so idyllischen Auffassung begnügt? So kann
die Zuweisung des Bildes an Tischbein nicht zuverlässig erfolgen, und es bleibt abzuwarten, ob sich noch
weitere Sagenthemen bei diesem Künstler werden finden lassen.

Zu einem romantischen Künstler kam Tischbein
schließlich durch seinen Verkehr mit Philipp Otto
Runge in Beziehung. Runge hatte schon während seines
Aufenthaltes in Kopenhagen (1799—1801) durch ihre
gemeinsame Freundin, die Dichterin Friederike Brun,
Tischbein rühmen hören und sogar den Plan erwogen,
ihn zum Lehrer zu erwählen, den er, in Verwechslung mit seinem Vetter Friedrich August Tischbein,
als Akademiedirektor in Leipzig wähnte. Runge ging

---

[1]) Vgl. die Abb. zu S. 148. Auch die Behandlung der Rosen
ist bei beiden Bildern gleich.

nach Dresden (1801—1804), doch schickte er manche Zeichnung nach Hamburg zur Beurteilung durch Tischbein, der besonders an den Kinderfiguren Gefallen fand. Bei einem kurzen Aufenthalt in Hamburg (1803) lernte er den verehrten Meister persönlich kennen, in den Jahren 1807—1808 trat er mit ihm in näheren Verkehr und besuchte den von Hamburg scheidenden Künstler im Sommer 1809 in seiner neuen Heimat Eutin. Runges Tod (1810) bereitete ihrem Verkehr ein jähes Ende. Was Runge zu Tischbein zog, das waren gewiß eben diese romantischen Neigungen Tischbeins. Auch Tischbein liebte es ja, ganz wie Runge, allerlei Gedanken in seine Bilder hineinzugeheimnissen. Nur ging der mystisch veranlagte Romantiker auf weit dunkleren Wegen, als der rationalistische Klassizist, dessen Bildgedanken bei aller Seltsamkeit doch etwas Einfaches und Klares behielten. So mußte Runge sich einmal von Tischbein die Warnung vor allzu vielem Spintisieren vorhalten lassen: „es ist am Ende Allegorie und Poesie, und auch das Beste in dieser Art ein Wort; und da geht das eigentliche Wort selbst ja doch weiter und sagt mehr".[1]) Auch ihre dichterische Ader mag einen Anknüpfungspunkt gegeben haben.

Von der Einwirkung Tischbeins auf Runge durch seine Vermittlung der pompejanischen Wandmalerei, besonders der Arabesken, ist schon gesprochen worden; bleibt noch übrig, Runges Einfluß auf Tischbein festzustellen. Es war die Landschafts-

---

[1]) Vgl. z. allem Ph. O. Runge: Hinterlassene Schriften, Hamburg 1840 I, S. 243 u. a. anderen Orten.

malerei, in der Tischbein von Runge bedeutende Eindrücke empfing. Tischbein bewunderte die Entwürfe
zu den vier Jahreszeiten, besonders zum „Morgen",
den er bereits in der Untermalung kannte. Er beab-
sichtigte, dieses Bild ganz als Landschaft zu kopieren,
indem er alle Figuren in Morgenwolken verwandelte.
Sodann erregte ein um 1805 gemalter Sonnenauf- oder
-untergang Tischbeins Aufmerksamkeit, und er ließ sich
das Bild vom Künstler schenken. In späteren Jahren
trugen diese Eindrücke Früchte. Die Hamburger
Kunsthalle besitzt ein Alterswerk des Malers von 1822,
das Porträt seiner Tochter Angelika. Man sieht sie in
einer Landschaft stehen und einen Gratulationsbrief
zu ihrem dreizehnten Geburtstag lesen, der den Beginn
der Klopstockschen Ode „Der Zürcher See" enthält.
Die Landschaft wird durch eine Mauer von Bäumen
gebildet, die von der Morgensonne gerötet sind. Also
hier eine ganz ähnliche Morgenstimmung, wie sie
Tischbein bei Runge bewunderte, und wie er sie selbst
einmal auf einer Reise von Hamburg nach Eutin sah.
Dieser Landschaft fehlt das Nüchterne, das Tischbein
gerade in Naturbildern eigen war; ein neues, erst von
den Romantikern entdecktes Fluidum, man würde es
heute „Stimmung" nennen, strahlt von ihr aus.[1]) Alle
diese Annäherungen an Romantiker und romantische
Kunst dürfen nicht den Glauben erwecken, als würde
sich Tischbein unter ihrem Einflusse noch einmal gewandelt haben. Sie bleiben, ganz wie beim alternden

---

[1]) Die Anregung zur Beeinflussung Tischbeins durch Runge
verdanke ich A. Lichtwark.

Goethe, eine Sonderneigung, die den festen Kurs der klassizistischen Kunstanschauung nicht mehr zu ändern vermochte.

4. Beziehungen zu Weimar. ▣ ▣ ▣

Das Wielandbild. Bekanntschaft mit Schopenhauer.

Als Tischbein sich in Hamburg eingelebt hatte, nahm er die freundschaftlichen Beziehungen wieder auf, die ihn mit der Herzogin Amalia verbanden. Ihr, die seinen Geist „auf Zeichnungen bedeutenden Inhalts leitete", widmete er 1805 ein Werk, das für seine Art des künstlerischen Schaffens bezeichnend ist. Unter dem merkwürdigen Titel: „Überbleibsel der Sibyllinischen Bücher, gesammelt vor der Grotte von Cumä,"[1]) enthält es in künstlerisch minderwertiger Ausführung eine Unzahl aquarellierter Zeichnungen, die meist einen moralischen, stets einen erzählenden Inhalt haben. Da sieht man einen Esel, der die Ananas für Distel frißt, einen Schwan, dem ein Schwein entgegenläuft, und andere schöne Dinge mehr.[2]) Einige gefielen Tischbein so gut, daß er sie als Bilder wiederholte. Es sprach sich in diesen Blättern bereits die verhängnisvolle Neigung aus, die mit zunehmendem Alter immer stärker wurde: alles, was ihm einfiel, in Bildform umzusetzen. Wäre Tischbein ein originellerer Geist, so ließe sich wenigstens inhaltlich aus diesen Bildern etwas gewinnen. Da er aber über die alltäglichsten Betrachtungen nicht hinauskam und sie in

---

[1]) Im Bes. d. Großherzogl. Privatbibl. Oldenburg.
[2]) Näheres i. N. d. Merk. 1806, Augustheft S. 256 ff.

eine mehr als schnurrige Form kleidete, so erwecken diese Blätter heute nur noch ein Lächeln.

In Weimar fanden sie Gefallen und trugen dazu bei, Goethe dem einstigen Freunde wieder zu nähern. Goethe hatte schon im Sommer 1801 bei Professor Heyne in Göttingen Tischbeins Homerwerk bewundert, als ein schönes Beispiel, „wie der bildende Künstler mit dem Dichter zu wetteifern habe".[1] Als sich Tischbein nun Anfang 1806 schriftlich an Goethe wandte, erwiderte ihm dieser in herzlicher Weise: „Es ist höchst erfreulich zu empfinden, daß frühere gute Verhältnisse durch Zeit und Entfernung nicht leiden, ja eher sich durch fortdauernde Wirkung verbessern."[2] Der alte Groll war vergessen, und nun wurde auch Goethe in die freundlichen Beziehungen zu Tischbein hineingezogen. Sendungen von Zeichnungen gelangten nun häufig nach Weimar, gingen dort von Hand zu Hand und wurden mit poetischen Beischriften zurückgesandt, zugleich mit der Bitte, Tischbein möchte einmal selbst nach Weimar kommen. Goethe und die Herzogin, Fräulein v. Göchhausen und selbst Wieland nahmen an diesem anmutigen Verkehr teil.

Wieland sandte am 23. April 1806 einen langen poetischen Brief an Tischbein, in dem sich die Worte finden:

„Nimm edler Mann, mit einem Freundschaftskuß
Von einem, der von fern dich lange schon verehrte,
. . . .
Des Dankes herzlichsten Erguß."

---

[1] Tag- u. Jahreshefte 1801.
[2] Brief v. 24. Febr. 1806.

Aus diesen Zeilen geht hervor, daß Wieland bis 1806 den Maler nicht persönlich kannte, und das hat sich auch bis zu Wielands Tode (1813) nicht geändert, da Tischbein bis zu dieser Zeit Norddeutschland nicht verließ. Wann sollte da das Porträt Wielands entstanden sein, das die Berliner Jahrhundertausstellung als ein Werk Wilhelm Tischbeins brachte und der Bruckmannsche Verlag unter diesem Titel veröffentlichte?[1) .

Eine Prinzessin von Anhalt-Zerbst soll als Fürstin Waldeck dieses Bild von Wilhelm Tischbein haben anfertigen lassen. Aus deren Nachlaß gelangte es in den Besitz der Familie v. Stockhausen. Leider hat dort der Hintergrund durch eine Spiritusabreibung gelitten, bei der auch die Bezeichnung des Malers verloren ging.[2) Wie mir scheint, liegt in dieser Tradition eine Verwechslung vor. Nicht Wilhelm, sondern sein Vetter Friedr. Aug. Tischbein wird den Auftrag erhalten haben, das Bildnis Wielands zu malen.

Besondere Stütze erhält diese Annahme durch folgende Tatsachen. Einmal war F. A. Tischbein, als einstiger Hofmaler des Fürsten von Waldeck, dem Hause Waldeck bestens empfohlen, sodann schuf dieser Tischbein vor 1800 ein beglaubigtes Wielandporträt,[3) das in Alter und Ausdruck des Kopfes dem

---

[1) J. s. Koll: Die Deutsche Malerei des XIX. Jahrhdts.; abgeb. außerdem im großen Kat. d. Jahrhdt.-Ausstllg. I, S. 7. Weizsäcker, Die Bildnisse Wielands (Stuttgart 1893) erwähnt dieses Porträt nicht.

[2) Diese Mitteilung verdanke ich der jetzigen Besitzerin, Frau Baronin v. Stockhausen, Göttingen.

[3) Abgeb. b. Michel: Les Tischbein l. c. zu p. 34.

fraglichen Wielandbilde ähnelt, und schließlich besitzt das Wittumshaus in Weimar von diesem Bilde eine gezeichnete Kopie von der Hand der Karoline Tischbein, der Tochter F. A. Tischbeins.

Für Wilhelm Tischbein mag die Komposition und die malerische Haltung des Bildes sprechen. Demgegenüber ist zu erinnern, daß F. A. Tischbein seinem Vetter darin zuweilen nahekommt. Auch er hat in späteren Jahren die Rokokoauffassung öfters aufgegeben und manche Modelle, wie Joh. Heinr. Voß oder Schiller, gar in Römertracht gesteckt.

Abgesehen von dieser Gemeinsamkeit lassen sich Porträts von Wilhelm und Friedrich August Tischbein dadurch unterscheiden, daß Friedrich zu Brustbildern häufig ein ovales Format wählte und seine vorzügliche Technik an Gainsborough geschult hat. Größere Porträts F. A. Tischbeins, die viel flauer und süßlicher wirken, haben meist die Eigentümlichkeit, daß die dargestellten Personen als Kniefiguren gegeben werden und schräg im Raume sitzen (Bildnis von Herder, R. Z. Becker, Charlotte v. Kalb, Wieland); eine Gewohnheit, die sich bei Wilhelm Tischbein niemals findet.

Im Sommer 1806 vermittelte der Herzog Karl August während seines Aufenthaltes in Hamburg dem Künstler die Grüße seiner Weimarer Freunde; im gleichen Jahre konnte Amalia Schopenhauer, die von Hamburg nach Weimar übersiedelte, dem Weimarer Kreise über Tischbeins Ergehen berichten. Sie war in Hamburg eine Freundin und Bewunderin des Künst-

Bildnis von Tischbeins Tochter
Angelika (1822)   □

Hamburg
Kunsthalle

lers[1]) und brachte auch ihren jungen Sohn Arthur mit in sein Atelier. Schopenhauer hat an diesem „philosophischen Maler oder malenden Philosophen", wie er ihn einmal selbst nannte,[2]) das regeste Interesse genommen und sich seine Bilder als Belege für spätere Schriften gemerkt. Tischbein hatte, als er sich einst traurig fühlte, den großen Schatten an der Wand gesehen, den er warf, und diese Wahrnehmung hatte ihn wieder aufgeheitert. Er malte diesen „Mann mit dem großen Schatten", und Goethe, der selbst ein Aquarell davon besaß,[3]) dichtete ein paar lustige Verse dazu. Schopenhauer, der das Bild mit pessimistischen Augen ansah, war es das Muster einer „possenhaften Szene mit ernstem Hintergrunde".[4])

Oder Tischbein stellte auf einer Doppelzeichnung oben klagende Frauen dar, denen ihre Kinder entrissen, unten Schafe, denen die Lämmer fortgenommen werden, eine Illustration zu seinen vergleichenden Tier- und Menschenstudien. Schopenhauer war dies ein Beleg für seine Ansicht, „um wie viel stärker der im Bewußtsein der Menschen lebende Schmerz ist, als der dumpfe tierische Schmerz".[5])

Oder Tischbein malte in Erinnerung an den Vesuvausbruch, den er 1794 in Neapel erlebte, folgende Szene, die auch in seinem Buch für die Herzogin Amalia

---

[1]) Von ihr stammt der A. Schopenh. unterzeichnete Brief, den v. Alten l. c. S. 111 ff. als Dokument des Philosophen abdruckt.

[2]) Welt als Wille u. Vorstellung. Hrsg. v. Grisebach, Lpzg. I, S. 402.

[3]) Im Besitz des Goethehauses, Weimar,

[4]) W. a. W u. V. II, S. 118.

[5]) Ebenda I, S. 402 f.

Aufnahme fand: Ein Sohn hat seinen Vater auf den Rücken geladen und flieht mit ihm vor dem Lavastrome. Der Vater aber will, daß der Sohn ihn niederlegt, um seine Flucht zu beschleunigen. Dieses Zeugnis einer bis zur Selbstvergessenheit gehenden Liebe war Schopenhauer eine Illustration der mystischen Tatsache des Sich-im-anderen-Fühlens, des indischen tat twam asi.[1]) So schöpfte Schopenhauer aus allen Bildern immer nur seine Philosophie heraus, die doch der optimistischen Lebensanschauung Tischbeins ganz entgegengesetzt war.

Am 7. April 1807 starb der Mittelpunkt des Weimarer Kreises, die edle Herzogin Amalia, und mit ihrem Tode erloschen auch die Beziehungen zwischen Hamburg und Weimar.

5. Die Berufung nach Eutin.

Tischbein als Kunstsammler. ▣ ▣ ▣ ▣

Als Wilhelm Tischbein vom König Ferdinand von Neapel 1802 das Angebot erhielt, den Posten des Akademiedirektors von neuem zu bekleiden, erklärte er sich dazu bereit unter der Bedingung, daß ihm, der damals aller Mittel bar war, das Reisegeld erstattet würde. Darauf ein zweijähriges Schweigen, dann erneute sich das Angebot, und jetzt lehnte es Tischbein ab unter dem Vorwande, daß seine Gesundheit zu sehr geschwächt sei.[2]) Ebenso erfolglos waren

---

[1]) Ebenda V, S. 225.
[2]) Vgl. Borzelli: L' accademia del disegno a Napoli. (Napoli nobilissima 1901, S. 2 f.).

die Verhandlungen, die sich nach Böttners Tode mit der Kasseler Akademie anknüpften (1805), wie endlich das Bemühen Böttigers, ihn 1807 an Stelle Schenaus nach Dresden zu berufen.

Tischbein hatte bereits einen Gönner gefunden, dem er sich immer enger verbunden fühlte: es war der kunstliebende Herzog Peter von Oldenburg. Peter, der einst in Italien geweilt und sogar an der Akademie von Bologna gezeichnet hatte, war wohl durch den Aufsatz über Tischbeins Kunstschätze im „Deutschen Merkur"[1]) auf den Künstler aufmerksam geworden und besuchte ihn 1801 in Hamburg.

Er gab ihm den Auftrag, seine beiden jungen Söhne August und Georg zu porträtieren. Tischbein malte sie in weißen Trachten in einer Landschaft stehend, im Hintergrunde einen regenschweren Himmel. Dieser Himmel ist seit dem Goethebilde für Tischbein typisch, er gibt ihm das Grau zu der Harmonie von weißen und braunen Tönen. Auch sein eigenes Bildnis ließ der Herzog damals malen; es ist wohl das Brustbild in der blauen Hofuniform, das im Oldenburger Kleinen Palais hängt.

Die reichen Kunstschätze, die er bei Tischbein gesehen, ließen ihm keine Ruhe, bis er sich 1804 entschloß, die schönsten von ihnen zu kaufen und mit ihnen den Grundstock zu einer Galerie zu legen. Tischbein hatte schon in Deutschland zu sammeln begonnen, vornehmlich niederländische Meister; in Italien, wo so mancher deutsche Künstler, leider meist ohne Sachkenntnis, Kunstwerke erwarb, war diese

---

[1]) Aufs. v. Böttiger III, S. 76.

Neigung noch erstarkt, und nun wandte Tischbein gemäß seinen veränderten Kunstanschauungen das Hauptinteresse den barocken Italienern zu. Er erwarb manches gute Stück von Guido Reni, Francesco da Ponte und Salvator Rosa, das sich heute in der Oldenburger Gemäldegalerie befindet.

Das kostbarste Stück seiner Sammlung war seiner Ansicht nach Johannes in der Wüste, den er 1787 als Raffael kaufte. Bei der Sammlung von über achtzig Stücken, die der Herzog erwarb, durfte dieser „Raffael“ — er gilt heute als minderer lombardischer Meister — nicht fehlen, und er kam seinen Käufer 12 000 Taler zu stehen. Kurz nach diesem Verkaufe sprach der Kurprinz von Bayern, nachmaliger König Ludwig I., bei Tischbein vor, mit der gleichen Absicht, seine Bilder zu erwerben. Er kam zu spät. Die Oldenburger Galerie erfuhr auch späterhin durch Tischbeins Vermittlung manchen Zuwachs. 1808 kaufte er für den Herzog die Salome des Andrea Solario, in den zwanziger Jahren die schöne Flußlandschaft des Salomon Ruystael nebst anderen holländischen Werken. Auch die Abgüsse nach der Antike gehen auf eine Anregung Tischbeins zurück.[1])

Tischbeins brieflicher Verkehr erstreckte sich indessen in Hamburg auch auf die feingebildeten Prinzen, und so war es nur ein Schritt, als der Herzog 1808 den Freund seines Hauses gegen eine jährliche Pension von 600 Talern ganz an seinen Hof zog. Der Künstler verließ Hamburg Anfang Juni und ging nach Eutin, der herzoglichen Sommerresidenz.

---

[1]) Vgl. die Einl. v. Altens z. Oldenb. Museumskat. 5. Aufl. 1881.

VIII. Der Aufenthalt in Eutin 1808–1829.

1. Künstlerische Tätigkeit. ▣ ▣ ▣ ▣ ▣

Höfische Porträts. ▣ ▣ ▣ ▣ ▣ ▣ ▣ ▣ ▣ ▣ ▣ ▣

Eutin hatte, als sich Tischbein dort ansiedelte, seine Blüte als Literaturstadt bereits hinter sich. Friedrich Heinrich Jakobi, Nicolovius, Friedrich Leopold Stollberg und Voß waren damals schon wieder über ganz Deutschland verstreut. Aber als Nachwirkung dieser bedeutenden Männer bestand in Eutin und in Oldenburg ein geistig hochstehender Kreis, dem Männer wie Ahlwardt, Halem, König, Maltzahn, Beaulieu, Starkloff und Rennenkampff angehörten. In ihrer Mitte wurde Tischbein mit Freuden aufgenommen und zum Mitglied der „Gelehrten Gesellschaft" ernannt.

Auch kamen die einstigen Sterne dieses Kreises zuweilen zum Besuch. So weilte Friedr. Leop. Stollberg 1806 in Hamburg und Holstein, und damals, wenn nicht schon 1792, da Stollberg den Maler in Neapel traf, hat Wilhelm Tischbein sein Bild gemalt, das v. Alten erwähnt.[1]) Doch kann, da v. Alten sich auf die Angabe des Bildes eines Grafen Stollberg beschränkt, auch an Christian gedacht werden, der 1800 bis 1821 auf seinem Gute bei Eckernförde lebte. Das Bild ist verschollen.

---

[1]) L. c., S. 267.

1817 besuchte Voß Eutin, und Tischbein malte ihn, als er begeistert aus seiner Luise vortrug. Das Original befindet sich bei Herrn Hans v. Müller in Willmersdorf bei Berlin und trägt auf der Rückseite eine lateinische Aufschrift, die jeden Zweifel an der Echtheit des Bildes ausschließt. Eine vorzügliche Kopie befindet sich im Voßhause zu Eutin, eine andere bei Fräulein Hellwag ebenda, eine dritte bei Herrn Oberamtmann Schaible in Heidelberg.[1]) Der Dichter ist mit kahlem Vorhaupt gegeben, zu dem die langen Locken des Hinterkopfes seltsam kontrastieren. Das scharfe Profil sowie der blaue Rock mit der blaugestreiften Weste verleihen dem Bilde in Zeichnung und Farbe eine besondere Frische.

So fehlte es denn in Eutin nicht an geistiger Anregung; dazu kam die Freundschaft mit dem herzoglichen Hause und schließlich die landschaftlich bevorzugte Lage, um Tischbeins Alter vollkommen glücklich zu gestalten. Von der Natur freilich nahm Tischbein nicht genügende Anregungen auf; abgesehen von einem braunen Bilde des herrlichen Schloßparkes, einer trefflichen Tuschzeichnung des Meeres, die sich Goethe behielt,[2]) und den Hintergründen zu Porträts wußte er noch nichts Rechtes mit ihr zu beginnen.

Sein Haupteifer galt, besonders in den ersten Jahren, dem höfischen Porträt. Die hellen, guten Ge-

---

[1]) Diese Mitteilung verdanke ich Herrn Oberamtmann Schaible. In seinem Besitz befindet sich auch ein Bildnis von Voß, das von F. A. Tischbein 1810 gemalt wurde. Die Lithographie nach W. Tischbeins Voßbild von W. Unger (1826) ist abgeb. bei Könnecke l. c., S. 262.

[2]) Im Bes. des Goethe-Nationalmuseums, Weimar.

sichter der herzoglichen Familie waren das geeignete Feld für ihn.

Den jungen Prinzen Georg, seinen Liebling, hat er freilich, außer auf dem Doppelbilde von 1801, nicht mehr gemalt, da Georg als Gemahl der Großfürstin Katharina seit 1808 in Rußland weilte. Das wundervolle Brustbild dieses Prinzen im Oldenburger Schlosse ist von Friedrich August Tischbein, der von 1806 bis 1809 in Rußland lebte. Von malerischer Delikatesse ist es, wie überhaupt die besten Porträts Friedrich Augusts, den Bildnissen Wilhelm Tischbeins überlegen.

So müssen wir denn auch das Brustbild des Prinzen August im dunkelblauen Rock mit weißer Weste, den Andreasstern auf der Brust, das alles zu einem grauen Hintergrunde abgestimmt, Friedrich August zuschreiben, für den außer der Grazie das ovale Format spricht.[1]) Es ist anzunehmen, daß F. A. Tischbein nach seiner Rückkehr aus Rußland dem Herzog das Bildnis des Prinzen Georg persönlich überreichte und bei dieser Gelegenheit auch Peters älteren Sohn gemalt hat. Diese Porträts scheinen einige Werke Wilhelm Tischbeins günstig beeinflußt zu haben, besonders das wundervolle Brustbild des Prinzen August im Eutiner Schlosse, das in seiner glänzenden Technik und dem blühenden Ausdruck des Gesichtes sich weit über die Trockenheit seiner durchschnittlichen Bildnisse erhebt.

Um 1810 heiratete Prinz August die Prinzessin

---

[1]) Im Bes. des Oldenburger Schlosses.

Adelheid, und von dieser Zeit an stammen ihre Bildnisse von Tischbeins Hand. Sie sind weniger glücklich, als die Porträts des Herzogs und seines Sohnes, da Tischbein für weibliche Schönheit selten die nötige Weichheit fand. Nur wo es sich um ein so majestätisches Antlitz wie das der klassisch schönen Gräfin Scheel-Plessen handelte, gelang ihm auch diese. Ja, ihr Porträt im Besitze des Grafen Rantzau-Potsdam wurde eins seiner besten Bilder. Die Farbenenthaltsamkeit ist hier auf die Spitze getrieben: ein schwarzes, ausgeschnittenes Kleid, im braunen Haar ein hellgrauer Perlenschmuck und ebenso gefärbter Haarschleier, ein grauer Hintergrund. Malerisch ist das Bild ohne Reiz, woran aber auch die unausgeführte Behandlung des Kleides und der Wangen die Schuld trägt. Die Stärke dieses Werkes liegt vielmehr in der Modellierung des Kopfes, der durch die hohe Frisur und dem unmittelbar über ihr das Bild abschneidenden Rahmen noch größer erscheint. Sie wird mit den einfachsten Mitteln erreicht, unter Vermeidung von Licht und Schatten, allein dadurch, daß alles Überflüssige vermieden und nur die Hauptteile, der Mund, die Nase und die Augen, mit klassischer Einfachheit gegeben sind. Gegenüber dem bürgerlichen, ans Biedermeier streifenden Porträt der Christine Westphalen vertritt es das klassizistische Element in Tischbeins Schaffensweise.

Tischbeins behagliches Leben erlitt 1810 eine empfindliche Unterbrechung durch die politischen Wirren, die auch seinen Beschützer trafen. Oldenburg wurde dem französischen Kaiserreich einverleibt, und Herzog Peter reiste 1811, seiner Würde ledig, nach

Bildnis der Gräfin
Scheel-Plessen □

Potsdam □
Ernst Graf zu Rantzau

Petersburg. 1812 starb der wunderbare Prinz Georg, „dieser Mensch, aus dem so rein die Stimme Gottes sprach".[1]) Dies alles drückte Tischbein so sehr nieder, daß er einige Zeit die Arbeit ruhen lassen mußte. In diesen Jahren finden wir den Künstler mit der Aufzeichnung seines wechselvollen Lebens beschäftigt.

2. Tischbein als Schriftsteller.

„Dichter, fruchtbar aller Orten,
Bald mit Zeichen, bald mit Worten"
hatte 1806 Goethe den Künstler genannt und dabei wohl an die Beischriften gedacht, die dieser seinem Werke für die Herzogin Amalia zugefügt. Schon in frühen Jahren zeigte sich bei Tischbein dieser Hang, seine poetischen Gedanken nicht nur durch Bilder, sondern auch durch Worte zu gestalten.

Als er 1779 bis 1781 in Rom weilte, dichtete er ein Idyll in Prosa, dessen Inhalt den verschiedenen Eindruck der Natur auf die menschlichen Gemüter darstellt.[2]) v. Alten hat in seinem Tischbeinbuche einiges daraus veröffentlicht, das sich über den Dilettantismus nirgends erhebt. Weit besser sind die Bemerkungen, die er um 1808 zu einigen Idyllenzeichnungen schrieb; sie zeugen von feiner Naturbeobachtung.

Als er dann um 1800 in Hannover weilte, verfaßte er eine heute verlorene Dichtung, die das Unheil des Krieges zum Thema hat. Eine schöne

---

[1]) Brief Tischbeins, abgedr. b. v. Alten, l. c., S. 202.
[2]) Das Manuskr. in der Großherzogl. Privatbibl.

Zeichnung dazu, „Amazonen, die zur Jagd aus-
reiten",[1]) ist wohl damals entstanden, obgleich sie
in Format und Darstellung dem 1788 entstandenen
Bilde im Oldenburger Museum gleicht. Ein Kunst-
freund, der Tischbein 1806 in Hamburg besuchte, berichtet von einem größeren Gedichte über das menschliche Leben in fortlaufenden Allegorien, einer Geschichte der Revolution und einer Fabel vom Storch,
Werke, die heute verloren sind.[2]) Die Dichtungen er-
innerten ihn an Ossian und Geßner.

Erhalten ist aus der Hamburger und der Eutiner
Zeit ein nicht weniger als zwölf Bände umfassendes
Werk mit dem schnurrigen Titel: „Der Schwach-
maticus und seine vier Brüder, namentlich der San-
guinicus, der Phlegmaticus, der Colericus und der
Melancolicus, nebst zwölf Vorstellungen vom Esel".[3])
Dieser Roman, der die Freuden und Leiden des in
Italien populären Esels ausführlich beschreibt, ist, nach
den zahlreich dafür gezeichneten Aquarellen zu urteilen, eine Zusammenstellung von Prosaschwänken
moralischen und satirischen Charakters in der schon
früher erwähnten Harmlosigkeit.

Im Jahre 1820 stellte Tischbein elf Gedichte zu
Anakreontischen Bildern zusammen, die für den Druck
bei Perthes und Becker in Hamburg bestimmt waren,
ohne jemals dort zu erscheinen.[4]) Sie zeigen keinerlei
Eigenart.

---

[1]) Im Besitz des Grafen Rantzau, Potsdam.
[2]) Römer in N. D. Merkur 1806, Augustheft.
[3]) Im Besitz von Frau Oberstleutnant Tischbein, Eutin.
[4]) Im Besitz der Großherzogl. Privatbibl. Oldenburg.

Weit wichtiger als alle diese mehr oder weniger dilettantischen Arbeiten sind Tischbeins Lebenserinnerungen. Die Form, in der sie im Drucke vorliegen, entspricht freilich nicht immer Tischbeins Originalhandschrift. Seine Meinung: „Ich habe keine Sprache, ich muß jemand haben, der's zurecht stellt“,[1]) veranlaßte ihn dazu, sie zur Bearbeitung seinem Freunde, dem Hofrat Starkloff, zu geben. Dann kamen sie in die Hände Jakob Ludwig Römers, der sie gleichfalls umschrieb, und schließlich (1842) zu Dr. Schiller, der seinerseits nur das vorliegende Material zusammenstellte. Trotz dieser Umarbeitung darf man die Hauptvorzüge des Werkes auf Rechnung des Künstlers setzen, der von seinem Darstellungstalente in seinen zahlreichen Briefen Proben zur Genüge abgelegt hat. Ende 1810 begann Tischbein den ersten Teil dieser Erinnerungen, 1812 schrieb er seine Eindrücke seit dem zweiten italienischen Aufenthalt nieder; vollendet wurde dieses Buch niemals.

Das im Drucke erschienene Werk ist, außer seinem biographischen und kunsthistorischen Werte, wegen seiner großen dichterischen Schönheiten noch heute lesenswert. Gleich der Anfang, die Geschichte seiner Jugend, ist von idyllischem Reize.

Am besten gelingen ihm Naturschilderungen, die sich an Bildkraft mit Geßner vergleichen lassen. Es ist seltsam, daß dieser vorzügliche Naturbetrachter nicht mehr Landschaften gemalt hat, denn die Szenerien, die er in seinem Buche entwirft, sind ganz mit

---

[1]) Vgl. die Ztg. f. d. eleg. Welt, 1808, S. 663.

Maleraugen gesehen. Ein paar Beispiele dienen zur Erläuterung.

Tischbein schildert eine Reihe von Wasserfällen im Gebirge: „Einige stehen silberhell im vollsten Lichte, andere blitzen nur stellenweise durch das Gebüsch, worin sie hinunterstürzen, noch andere hängen in schattigen Buchten und gleiten in den zerrissenen Winkeln kaum gesehen hernieder."[1]) Ein anderes Mal sagt er von einem Wasserfall, der durch gelbbelaubte Birken fällt: „Es sah aus, als hinge ein Silberflor zwischen Goldstoff".[2])

Oder die Schilderung einer Mondnacht: „Sieht man nun in die Ferne auf die Elbe, so flimmert es wie Millionen Fische, die auf dem Wasser spielen, und dort im schwarzen Grunde wälzt der Mond die leuchtende Kugel in mancherlei Formen und flammt zwischen dem schwarzen Gehölz, dem Schilf und Gesträuche herum." In einer Geschichte der Landschaftsschilderung werden diese impressionistischen Aufzeichnungen, die so viel moderner wirken als seine Bilder, nicht fehlen dürfen.

Als Probe seiner auch in Briefen ausgesprochenen prächtigen Beobachtungsgabe diene ein Schreiben an Goethe aus Neapel, das dieser in den Bericht seines zweiten römischen Aufenthalts aufnahm. Da Goethe sich einige Korrekturen nicht versagen konnte, wird der hier folgende Passus in seiner ursprünglichen Frische wiedergegeben.[3]) Tischbein schildert da

_____

[1]) I, S. 235.   [2]) I, S. 236.
[3]) Nach dem Abdruck in den Schriften der Goethe-Ges. II, S. 429 ff.

einen Hengst, der sich in den pontinischen Sümpfen vom Wagen losriß: „Es war ein weißes, schönes Pferd von prächtiger Gestalt; er zerriß den Zügel, womit er angebunden war, hackte mit dem Vorderfuße nach dem, der ihn aufhalten wollte und schlug hinten aus und machte so ein Geschrei mit Wiehern, daß alles ihm aus Furcht Platz machte. Nun sprang er über den Graben, beständig wiehernd; der Schweif und die Mähne flatterten hoch in die Luft auf ... Dann lief er noch einen andern Graben auf und nieder und suchte eine schmale Stelle, um überzuspringen und zu den Fohlen und Stuten zu kommen, deren viele hundert jenseits weideten. Die erschraken vor seiner Wildheit und vor seinem Geschrei und vor seinem Geläute, das die Glocken machten, welche an dem Kopfgeschirr waren. Die liefen nun in einer Reihe und flohen über das flache Feld vor ihm hin, er aber hinter ihnen her und suchte auf sie zu springen. Endlich trieb er eine Stute ab, die eilte auf ein ander Feld zu einer anderen Versammlung Stuten. Die kamen auch in Schrecken und flohen nun hinüber zu dem andern Haufen; nun war das Feld schwarz von Pferden, wo der weiße Hengst immer unter ihnen herumsprang; nun war alles in Schrecken und Wildheit und lief in langen Reihen auf dem Felde hin und her: es sauste die Luft und donnerte die Erde, wo die Kraft der schweren Pferde über sie herflohen ..."

Auf diesen Brief paßt das Wort, das ihm einst die Dichterin Christine Westphalen schrieb: „Sie sind ein Meister im Stil kindlicher Einfalt".[1]) Kindlich

---

[1]) Ungedr. Brief im Besitz v. Frau Oberstleutn. Tischbein, Eutin.

möchte man auch manche seiner harmlosen Zeichnungen nennen, von denen die Sibyllinischen Bücher voll sind; steckte nicht überhaupt in Tischbein viel von einem Kinde, das alles angreift, was ihm in den Weg kommt und in naiver Weise davon Zeugnis gibt?

3. Tischbein als Militärmaler.

Das Porträt Heines. ⊟ ⊟ ⊟ ⊟ ⊟ ⊟ ⊟ ⊟

Die unfreiwillige Ruhe, die Tischbein seinen Lebenserinnerungen widmete, wurde 1813 von neuem gestört. Am 5. Dezember rückten dänische Jäger in Oldenburg ein, an dem Tage, da Tischbein sein sechstes Kind und einziger Sohn Peter geboren wurde, der später als Oberförster und Fachschriftsteller eine geachtete Stellung einnahm.

Die damals den Nordwesten Deutschlands durchziehenden Kriegsscharen der Dänen, Schweden, Franzosen, Kosacken und Baschkyren fesselten Tischbeins immer offenes Auge und gaben ihm Stoff zu manchen Soldatenskizzen. 1814 entstanden seine: Baschkyren zu Pferde im Oldenburger Museum und wohl im gleichen Jahre der an Rembrandt erinnernde Männerkopf im Besitze des Grafen Rantzau (Potsdam).

In diesem Jahre, am 31. Mai 1814, hielt der russische General Bennigsen seinen Einzug in Hamburg, und der Senat wollte diesen Augenblick der endlichen Befreiung von dem Drucke der Franzosen durch ein Gemälde gefeiert wissen. Man beehrte Tischbein mit diesem Auftrage, und der Künstler begab sich alsbald nach Hamburg und schlug bei dem russischen

166

General seine Wohnung auf. Nun begannen umfassende Studien der Uniformen und besonders der Pferde, die Bennigsen, der ein Pferdeliebhaber war und selbst ein Werk über sie geschrieben hatte, eifrig förderte. 1816 war das Bild vollendet. Es erregte überall Bewunderung und trug seinem Schöpfer laut Vertrag die Summe von 2400 Talern ein.[1]) Man hing es im großen Rathaussaale auf; 1869 ging es als Geschenk an die Hamburger Kunsthalle, wo es heute, zum Schaden des Ruhmes seines Autors, in gerolltem Zustande im Magazin schlummert.

Es zeigt uns in halber Lebensgröße den General auf einem Apfelschimmel, umgeben von seinem Stabe, der im Halbkreis an ihn heranreitet. Hinter ihnen erblickt man die bunt zusammengewürfelte russische Armee und die Hamburger Bürgergarde. In der Ferne erheben sich unter klarem Himmel die Türme Hamburgs, indeß ein düsteres Gewitter, wie es Tischbein liebte und hier mit symbolischer Bedeutung besonders gut verwenden konnte, zur Seite abzieht.

Die detaillierte Zeichnung tritt der koloristischen Haltung des Werkes, das sich in seiner Farbenbuntheit von der sonst gepflogenen Monotonie entfernt, hindernd in den Weg. Alles ist mit peinlicher Treue wiedergegeben, in jener lehrhaften Art, die der Klassizismus zur Darstellung des umgebenden Lebens gern verwandte. Nur die Pferde in ihrer vermenschlichten Charakteristik — die vergleichenden Tier- und Menschenstudien sollten auch hier eine Bestätigung er-

---

[1]) Den interessanten Vertrag besitzt Frau Oberstleutnant Tischbein, Eutin.

fahren — fallen aus dem streng realistischen Rahmen heraus.

Als Pendant der Bilder eines Kobell, Adam und Krüger verdient dieses tüchtige Bild seinen Platz in der Geschichte der Militärmalerei.

Die Befreiungskriege vermittelten Tischbein schließlich die Bekanntschaft Wellingtons und Blüchers, und er konnte es sich nicht versagen, die beiden Helden von Waterloo zu porträtieren. Das Brustbild Blüchers in roter, mit Pelzwerk verbrämter Husarenuniform soll zwar, laut zeitgenössischen Kritiken, den Kopf gar zu martialisch wiedergeben, ohne den ehrlich-gutmütigen Ausdruck, den etwa Grögers Porträt von 1816 hat, ist aber künstlerisch genommen den guten Bildnissen des Malers zuzuzählen.

Tischbeins durch alle diese Bilder bedingter Aufenthalt in Hamburg läßt einer Frage nähertreten, die der Heineforscher Ad. Strodtmann angeschnitten hat. In seiner Biographie: „Heines Leben und Werke"[1]) erwähnt er eine Porträtzeichnung des Dichters von Wilhelm Tischbein, die Ende Dezember des Jahres 1828 bei Heines Besuch in Hamburg entstanden und in photographischer Nachbildung bei H. Kuntzmann u. Co. in Berlin erschienen sei. Eines ist dieser Notiz mit Sicherheit zu entnehmen, daß Wilhelm Tischbein ein Bildnis Heines gefertigt hat, wenn man nicht etwa annimmt, daß dieses Gerücht ohne jeden Grund entstand. Alle übrigen Angaben Strodtmanns sind als unwahrscheinlich zurückzuweisen.

---

[1]) Hamburg, 3. Aufl. 1884 I, S. 705 f.

Studienkopf   Potsdam, Ernst Graf zu Rantzau

Schon Karpeles[1]) hat in Zweifel gezogen, daß die bei Kuntzmann u. Co. erschienene Nachbildung — das Original scheint verschollen zu sein — auf Tischbein zurückgeht, und dafür auf ihre Ähnlichkeit mit dem im Winter 1829 von Wilhelm Hensel gezeichneten Heineporträt hingewiesen.[2]) Und in der Tat widerspricht die zarte und unbestimmte Zeichnung durchaus der Tischbeinschen Technik.

Aber auch das Jahr 1828 als Entstehungszeit eines Tischbeinschen Heinebildes ist abzulehnen: Tischbein hat 1828 Hamburg nicht mehr besucht, weil er geistig bereits erkrankt war. In den Gastbüchern des Hamburger Kunstvereins wird er schon vor 1828 nicht mehr erwähnt.[3])

Karpeles hat nun 1903 ein neues Bildnis veröffentlich und beschrieben,[4]) das sich 1890 im Nachlasse des als Kunstsammlerin bekannten Fräuleins Eveline v. Waldenburg in Potsdam fand. 1906 ging es für den Preis von 5000 Mark in unbekannten Privatbesitz nach Amerika. Es galt schon bei Fräulein v. Waldenburg als Heinebild und wird auch von Karpeles als solches beansprucht. Wer es gemalt hat, ist mit Sicherheit nicht mehr festzustellen; nur eins ist sofort ersichtlich, wird aber von Karpeles nicht erwähnt, daß der Dargestellte weit jünger gewesen sein muß, als er sich auf der Zeichnung von Hensel

---

[1]) Heinrich Heine. Aus seinem Leben und aus seiner Zeit. Lpzg. 1899, S. 316.
[2]) Die Abbildung der Pseudo-Tischbeinschen Zeichnung ebenda S. 138, die ähnliche Henselsche Zeichnung S. 152 abgeb.
[3]) Lichtwark: H. Kauffmann l. c., S. 25.
[4]) Lpzg. Ill. Ztg. 1903, No. 3140.

und dem Pseudo-Tischbein darstellt. Damit wird die Vermutung von Karpeles hinfällig, es könnte von einem der Brüder Elsasser, deren Schwester die Gesellschafterin Fräulein v. Waldenburgs war, gemalt sein. August Elsasser ist 1810, sein Bruder Julius 1815 geboren: unmöglich also, daß sie Heine in so jugendlichem Alter malen konnten.

Professor Ludwig Pietsch hat gleichfalls die Meinung vertreten, in diesem Bilde das gesuchte Tischbeinsche Heinebild zu erkennen, und sich auf die Malweise, vor allem der Kleidung und der Haare, gestützt.[1]) Zu diesen mit Recht erwähnten Merkmalen ließe sich noch hinzufügen der bei Tischbeinschen Jugendporträts häufig vorkommende üppige und geschwungene Mund, die vollen runden Wangen und die zeichnerische Bildung der Augen. Auch der etwa puppenhafte Ausdruck spricht für Tischbein.

Da es aber 1828 nicht gemalt sein kann — auch von keinem anderen als Tischbein, da Heine, der krank und sorgenvoll im Dezember 1828 aus Italien nur für kurze Zeit nach Hamburg zurückkehrte, wohl kaum die Zeit und Muße gefunden hat, zu einem Porträt zu sitzen — so setzt man als das Entstehungsjahr am besten 1816 an. Anfang des Jahres 1816 weilte Tischbein in Hamburg, um das Bennigsenbild abzuliefern. Dann machte er eine Reise nach Dresden und Berlin und hielt sich wohl auch im September oder Oktober 1816 auf der Rückreise in Hamburg auf. Heine war damals 18 Jahre alt; das würde mit dem

---

[1]) In dem oben erwähnten Aufsatz von Karpeles.

Alter des Dargestellten gut zusammenstimmen. Keinesfalls kann das Bild, wenn es aus Hamburg stammt, später als 1819 gemalt sein, da Heine in diesem Jahre Hamburg verließ. Daß Heine 1816 noch Kaufmann war, ist natürlich kein Gegenbeweis; als Neffe Salomon Heines spielte er gewiß eine Rolle in der Hamburger Gesellschaft.

4. Die Idyllenbilder.

Unter dem 20. November 1786 seiner italienischen Reise erzählt Goethe, Tischbein habe ihm den Vorschlag gemacht, „daß Dichter und Künstler zusammen arbeiten sollten, um gleich vom Ursprunge heraus eine Einheit zu bilden ... Tischbein hat auch hierzu sehr angenehme idyllische Gedanken, und es ist wirklich sonderbar, daß die Gegenstände, die er auf diese Weise bearbeitet wünscht, von der Art sind, daß weder dichtende, noch bildende Kunst, jede für sich, zur Darstellung hinreichend wären. .. Das Titelkupfer zu unserem gemeinsamen Werke ist schon entworfen;[1] fürchtete ich mich nicht, in etwas Neues einzugehen, so könnte ich mich wohl verführen lassen."

Die Hinneigung zur Idylle, die dem ganzen achtzehnten Jahrhundert eigen war, lag in Tischbeins zum Einfachen und Schlichten gehenden Natur besonders tief begründet, und er hatte schon frühzeitig für sie einen Ausdruck gesucht. Zuerst gedachte er, ihr eine

---

[1] Die Zeichnung dazu, die übrigens erst in Neapel entstand, ist abgeb. in d. Schr. der Goethe-Gesellschaft V.

literarische Form zu geben, erst die Betrachtung Geßnerscher Bilder mag ihn zur bildlichen Darstellung geführt haben, sahen wir doch, wie er bald nach seiner Abreise von Zürich ein ganz idyllisches Bildchen, die arkadische Landschaft des Gothaer Museums, schuf. Doch glaubte er nicht, der literarischen Form ganz entraten zu können; er wollte ihr eine begleitende Stellung anweisen, und wen hätte er lieber dazu gewonnen als Goethe!

Die Trennung des Dichters von dem Künstler drängte den Gedanken für Jahre in den Hintergrund, aber in Tischbein glimmte der Funke fort, und 1817 versuchte er es ein zweites Mal, den wieder befreundeten Dichter für seine Idyllen zu gewinnen, indem er einige idyllische Zeichnungen nach Weimar sandte. Goethe, der in dieser Zeit infolge des bekannten Theaterskandals verdrießlich war, empfand diese Aufmerksamkeit besonders wohltuend und dankte aus vollem Herzen, ohne den zarten Wink des Künstlers zu verstehen. So wiederholte Tischbein 1821 seine Sendung, die nun aus einer Mappe mit siebzehn aquarellierten Skizzen bestand.

Jetzt erst schlug Goethe ein. Er zeichnete selbst ein Titelblatt und zierte es mit ein paar Versen. Diese Verse regten ihn zu weiteren poetischen Beischriften an, und schon im Juli erstattete er Tischbein die grüne Idyllenmappe mit seinen Dichtungen zurück. Tischbein, von Goethes Versen entzückt, ließ noch rasch einige Idyllenskizzen folgen, doch trafen sie den Dichter, der seit dem 26. Juli in Marienbad weilte, nicht mehr in Weimar an.

Aber hier im Bade blieb Goethe nicht müßig. Er fügte zu seinen Reimen außer einer Einleitung noch etliche Prosaglossen hinzu. Als er dann bei seiner Rückkehr nach Weimar die nachträglich eingetroffenen Idyllenskizzen vorfand, dichtete er noch einige neue, nur poetische Beischriften und veröffentlichte nun das Ganze 1822 in der Zeitschrift: Kunst und Altertum.[1])

Durch diesen Erfolg etwas übermütig, verfiel Tischbein in den alten Fehler, die Menschen über Gebühr zu nutzen, und bat Goethe, den er vorerst durch ein „Genius“ betiteltes Bändchen mit anakreontischen Zeichnungen und eine Gemme günstig gestimmt hatte, um weitere Dichtungen zu neuen Zeichnungen. Goethe fand sich durch diese Bitte zurückgestoßen, und auf sie nimmt wohl die Briefstelle Bezug, die er am 9. August 1822 von Eger aus über Tischbein an den Kunstmeyer schreibt: „Noch immer aber, wie man sich ihm nähert, scheucht er einen zurück; tut man ihm etwas zu Liebe, so soll man gleich den ganzen Komplex seiner Eigenheiten gelten lassen.“ Von nun an schwieg der Dichter.

Tischbein fühlte wohl, daß er zu weit gegangen, und suchte ihn zu versöhnen. Er gab 1824 dem jungen Friedrich Kirchner, Falks Privatsekretär, einen Band mit etlichen Zeichnungen mit, den er Goethe in Weimar überreichen sollte. Er enthielt sehr schöne Zeichnungen von Tieren, Erinnerungen an Pompeji und ähnliche Einfälle, wie sie die Sibyllinischen Bücher

---

[1]) III, 3.

uns kennen lehrten. Aber Kirchner ließ den Band in Lübeck liegen,[1]) und so stockten die Beziehungen auch weiterhin und wurden bis zu Tischbeins Tode nicht wieder aufgenommen. Ja, sie endeten insofern mit einem leisen Mißklang, als kurz nach Tischbeins Hingang der Bericht Goethes über den zweiten römischen Aufenthalt erschien, in dem sich manches strenge, wenn auch gerechte Wort über Tischbeins Charakter fand.

Die Idyllenzeichnungen, die Goethe zu seinen Beischriften anregten, sind noch heute in der gleichen grünen Mappe in der Privatbibliothek des Großherzogs von Oldenburg zu sehen. Ihr künstlerischer Wert ist gering.

Weit schöner sind die Bilder, die er nach ihnen und anderen idyllischen Themen im Auftrage des Herzogs von Oldenburg malte. Ein Teil von ihnen war schon in früheren Jahren ausgeführt worden und schmückte Tischbeins Wohnung, die meisten entstanden in den Jahren 1819 und 1820. Sie wurden in einem Vorzimmer des Oldenburger Schlosses untergebracht und kamen von da ins Museum.

Sie dort zu genießen hält schwer, da ihrer vierzig, nur durch dünne Zwischenräume getrennt, in einem Rahmen zusammengepfercht sind. Tischbein hatte die Absicht, ein Nachklang antiker Raumgestaltung, mit diesen Bildern eine vornehmlich dekorative Wirkung

---

[1]) Vgl. den Aufsatz: „Ein nachgelassenes Werk Tischbeins" in der Ztschr.: Vom Fels zum Meer, 19. Jahrg. Heft 8. Dort drei farbige Abbildungen daraus.

zu erzielen. Um zwei große Landschaften sollten sich vierundvierzig kleine Bildchen von nur einem drittel Meter Höhe und noch geringerer Breite in regelmäßigen Abständen gruppieren.

Eine dieser Landschaften ist im Oldenburger Museum, aber im Kataloge den Idyllenbildern nicht zugezählt; die andere muß als verschollen gelten. Dem Inhalt ist durch diesen Verlust kein Abbruch geschehen, denn der Zusammenhang der Bilder ist äußerst locker. Da sieht man Götter- und Hirtenszenen aus der antiken Welt, Löwen und Adler, Schafe und Ziegen aus dem Tierreich, Fruchtbäume und Eichen aus der Pflanzenwelt.

Phantastisch sind besonders zwei Bilder: das eine, darauf man in Sonnenscheiben liebliche Mädchenköpfe sieht, das andere, auf dem Mädchenköpfe an einem rötlich beleuchteten Himmel blinken. Diese Bilder sollen zugleich den Schlüssel des ganzen Zyklus liefern, den Tischbein in einer beigefügten Beschreibung zu geben versucht. Es handelt sich, wie einst in seiner gedichteten Idylle, um den Eindruck der Welt auf zwei verschieden geartete Temperamente. „Der fröhlich gesinnte Schäfer sieht alles im erfreulichsten Lichtglanz und das Bild seiner Geliebten in Sonnen am Himmel schweben. Der gemütliche Schäfer sieht auch das Bild seiner Geliebten am Himmel, aber im zarten Rosenschein der sanften Aurora."[1]

Der künstlerische Wert dieser Bildchen ist sehr verschieden. Am schwächsten sind die mythologischen

---

[1] Abgedr. b. v. Alten l. c. S. 310.

Szenen. Die fliegenden Gestalten erreichen niemals die Grazie ihrer pompejanischen Vorbilder, doch sind sie, bei mancher Verzeichnung, wegen der gelungenen Wiedergabe des Leichten, Schwebenden von einigem Reize. Nur eine von ihnen, Aurora, die in weißem Gewande, mit einem Kranze von Rosen umgeben, am Morgenhimmel schwebt (12), ist von besonderer Schönheit.

Wie ein verkleinerter früher Böcklin wirken die romantischen Quellennymphen (29), deren eine sich in einer Höhle lagert, die andere, vom Rücken gesehen, vor hohen Wassergräsern ruht. Von den Tierstücken sind die zwei sich schnäbelnden Schwäne (37), von den Landschaften der Apfelbaum (33) und der von Kürbissen umrankte Baumstamm (34) bemerkenswert.

Neben ihrer künstlerischen Bedeutung kommt ihnen eine kunsthistorische zu. Wenn Wölfflin in seinem Buche über Geßner die Beobachtung mitteilt, daß der schäferlich-antike Charakter, der sich in Geßners Idyllen findet, in klassischer Zeit der häuslichen, bürgerlichen Idylle weichen muß,[1]) so macht Tischbein von dieser Regel eine interessante Ausnahme. In ihm lebt der idyllische Charakter der Geßnerzeit mit ihren Nymphen, Faunen und Hirten und den arkadischen Landschaften fort. Teils mag Geßners direkter Einfluß diese Erscheinung erklären, teils die ländliche Umgebung, die Tischbein in seiner Kindheit umfing, und die nun im Alter wie eine liebe Jugenderinnerung wieder in ihm auftauchte.

---

[1]) Heinr. Wölfflin: Salomon Geßner, Frauenfeld 1889, S. 145.

Quellennymphen aus der
„Idylle" (1819/20) ☐ ☐

Oldenburg
Augusteum

Nach einer Originalaufnahme von Wilh. Oncken in Oldenburg

5. Tischbeins Alter. ▣ ▣ ▣

Der Mensch als Herrscher über die Natur.

'Wie eine schnelle Rakete in fortlaufendem Aufstieg zur Höhe fährt, so sahen wir Tischbein während der ersten Hälfte seines Lebens in nie ermüdender Entwicklung bis zum Gipfel seines Daseins, zur Gewinnung der klassischen Kunstanschauung emporsteigen. Aber wie eine Rakete, auf der ihr beschiedenen Höhe angelangt, sich in weitem Bogen mit leuchtenden Kugeln ausbreitet, so bemerken wir, wie Tischbein während der zweiten Hälfte seines Lebens, statt fortzusteigen, sich immer weiter auszudehnen begann.

Porträts, Tierbilder, Blumenstücke, Landschaften und die phantasievollen Idyllenbildchen zogen in buntem Wechsel vorüber, und selbst das Gebiet, das Tischbein in den engen Verhältnissen Hamburgs hintansetzen mußte, gab ihm in Eutin wieder den Stoff zu Bildern: die antike Historie.

Schon 1802 hatte ihm der Herzog ein großes Bild in Auftrag gegeben: Ajax, der Kassandra vom Altare der Pallas reißt, und dieses Werk gefiel so sehr, daß er den Plan faßte, einen ganzen Saal seines Schlosses mit homerischen Darstellungen zu zieren. So entstanden in größeren oder geringeren Abständen Hektors Abschied, Menelaos und Helena, Odysseus und Nausikaa und 1823 als der Abschluß des Ganzen Achilles und Penthesilea.

Verzeichnete Körper, grelle Farben, wie der

zinnoberrote Mantel des Menelaos, und hohle Gebärden machen den Anblick dieser Bilder im Oldenburger Schlosse zur Qual. Waren die historischen Werke Tischbeins aus seiner italienischen Zeit nicht besser, so braucht man ihren Verlust nicht zu bedauern. Erträglich ist einzig das Bild: Odysseus und Nausikaa. Es stellt den Augenblick dar, da Nausikaa beim Anblick des Odysseus in Liebe erglüht und ihre Gefühle nur schwer bemeistern kann. Das junge Mädchen, das in ockergelbem Gewand an einem Pfeiler lehnt, hat in Stellung und Gesichtsausdruck eine Zartheit und Gefälligkeit, die von der Plumpheit der anderen Bilder um so deutlicher absticht.

Noch ehe der Homersaal beendet war, dachte der Herzog an die Ausschmückung des sogenannten Kleinen Saales. Tischbein wählte dafür das Thema, das ihn seit seiner Entstehung in Rom nicht mehr verlassen hatte: Die Kraft des Mannes. Die Supraporten, die heut im Homersaal hängen, stellen dar, wie das Kind zum Manne erzogen wird; ein großes Gemälde zeigt unter dem Beispiele Hermanns des Cheruskers den Mann, der seine Kraft zum Schutze der Schwachen braucht; das Hauptbild wiederholte die schon früher im kleinen ausgeführte: „Herrschaft des Menschen über die Natur" in großem Maßstabe. Dieses 1821 beendete Riesentableau zeigt einen nackten Mann und einen Jüngling zu Pferde, die einen Löwen und einen Adler erbeutet haben. Die Zeichnung der Tiere und nackten Menschen ist vortrefflich; wenn dieses Werk trotzdem keinen starken Eindruck hinterläßt, so liegt das einmal an seiner farbigen Monotonie, dann

178

aber an der Kälte und Nüchternheit, die Tischbein bei großen Bildern niemals überwand.

Der Titel des Gemäldes hat für Tischbeins späteres Schaffen symbolische Bedeutung. Die Herrschaft des Menschen über die Natur, war sie es nicht, die er erstrebte, seit er in Goethe einen solchen Herrscher erkannt hatte? Tischbein beherrschte die Welt, indem er sie malte; sie war ihm untertan, indem sie ihm zum Modelle saß. Seine Wohnung war zuweilen mit seinen Bildern bis an den Rand gefüllt; da hingen sie in Reih' und Glied, die Landschaften, Blumen und Tiere, die Kinder und Greise, die griechischen Helden und bedeutenden Zeitgenossen und hoch oben die schwebenden Gestalten der Idyllenbilder.[1]) Und mitten in dieser Herrlichkeit thronte er in patriarchalischer Würde.

Und Tischbein suchte immer noch neue Gebiete für seine Wirksamkeit. Er illustrierte Bücher, versuchte sich an einem Denkmalsentwurf und wandte sich noch im Alter dem Kunstgewerbe zu.

Nach seinen Entwürfen sind die Majolikafriese der weißen Kachelöfen, die man in der Galerie des Oldenburger Schlosses, in einigen Privathäusern Eutins und im Museum von Altona noch heute betrachten kann. Es sind hellbraune Zeichnungen auf dunkelbraunem Grunde: Ranken mit springenden Tieren, wie er sie in Pompeji sah, oder griechische Gestalten,

---

[1]) Vgl. dazu die lebhafte Schilderung seiner Wohnung bei F. J. L. Meyer: Darstellungen aus Norddeutschland, Hamburg 1816, S. 358 ff.

die er von seinen Vasen kannte. Dann schmückte er Sofas und Stühle mit Arabesken und schuf so sehr geschmackvolle Möbel im Empiregeschmack.[1]) Ja, in einer Kunstausstellung, die Tischbein in Oldenburg plante, wollte er auf das Kunsthandwerk besonderes Gewicht legen; dieser Ausstellungsplan kam aus unbekannten Gründen nicht zur Ausführung, aber er zeigt, ganz wie die großzügige Idee einer Zeichenschule für jedermann, mit welch fruchtbaren Ideen sich der Künstler trug.

Neben der eigenen, gewaltigen Produktion wollte Tischbein, wie einst in Neapel und dann in Hamburg, seine Kenntnisse auch anderen übermitteln. Er hatte stets einen Kreis von Schülern um sich, deren Werke, meist aus antiken Sagenkreisen, in Oldenburg und in Holstein nicht selten sind.[2]) Ihre Namen sind vergessen, nur Einer gelangte später zu größerem Ansehen: Jakob Gensler. Er ging, wohl auf Empfehlung seines ersten Lehrers Gerdt Hardorffs, nach Eutin, und genoß von 1824 bis 1826 Tischbeins Unterricht. Sein erstes Bild, die hessischen Kärrner (1826), liefert den Beweis, daß er zu keinem Klassizisten, sondern zu einem schlichten Naturschilderer erzogen wurde.

---

[1]) Herr Dr. Busse in Eutin besitzt ein Schlafsofa mit beklebten Vorder- und Seitenleisten; Herr Gutsbesitzer Schwerdtfeger in Johannesberg bei Rendsburg besitzt zwei ähnlich behandelte Stühle Tischbeins.

[2]) So sind zwei Bilder: „Achill an der Leiche des Patroklos von Thetis die Waffen erhaltend" und „Penelope in Gegenwart der Eurykleia den Odysseus erkennend", im Consistorialsaal der Kieler Universität, nicht von Tischbein, sondern von C. A. Goos. Vergl. R. Foerster: Die Kunst in Schleswig-Holstein, Kiel 1890, S. 23, Anm. 6.

Erziehlich sollten auch die lebenden Bilder wirken, die er in der Eutiner Gesellschaft anregte.[1])

Aber Tischbein begnügte sich schon längst nicht mehr mit einer nur künstlerischen Wirksamkeit. Wir sahen ihn Altertumskunde und Naturwissenschaft treiben, daneben die Zeit zu ausgedehnten Dichtungen und zu einem weitverzweigten Briefwechsel finden. Bei dieser immensen Tätigkeit versteht man ein Wort, das sich in seinen nachgelassenen Papieren fand: „Ich halte den Tag für nicht gelebt zu haben, worin ich nichts erfinde, und wenn ich einen zarten Gedanken in ein Bild bringe, den Tag halte ich für angewandt." [2]) Traute er der Stärke des Mannes nicht zu viel zu?

Erst in den letzten Jahren seines Lebens wurde diese übermäßige Wirksamkeit beschränkt. Seine Freunde starben oder verließen Eutin; wem sollte er da seine unzähligen Einfälle mitteilen? Tischbein selbst wurde langsam müde. Ein rührendes Wort, das letzte aus seinen Lebenserinnerungen, spricht es aus: „Ich glaubte diesen Winter alles in Ordnung zu bringen, aber ich habe weniger Zeit gehabt als sonst, weil Trauerfälle auf Trauerfälle kamen. Ich fühle mit Betrübnis, daß meine Gedanken stumpf werden. Schwer wirkt der Zeitlauf, daß es niemand kümmert, daß ich denke, was ich mir Mühe gegeben habe, denken zu können. An diesem stillen Orte, wo man Zeit hat nachzudenken, da fällt einem viel ein,

---

[1]) Vgl.: Vor- und Jetztzeit der Großherzogl. Oldenburgischen Städt Eutin. Eutin 1836, S. 9.
[2]) Im Besitz von Frau Oberstleutnant Tischbein, Eutin,

wobei es besser wäre gestört zu werden, um nicht zu denken."

Tischbein ahnte schon den Verfall seiner Kräfte. Trübsinn und Verfolgungswahn umdüsterten den Greis, bis ihn der Tod erlöste. Wilhelm Tischbein starb am 26. Juli 1829.

IX. Schluß. ▫ ▫ ▫ ▫ ▫ ▫ ▫ ▫ ▫ ▫ ▫

Tischbein in der Kunstgeschichte.

Älterer und jüngerer Klassizismus. ▫ ▫ ▫ ▫ ▫ ▫

Die vielfachen Anregungen, die Tischbein einem
Mengs und Winckelmann verdankt, legen es nahe, ihn
in einer deutschen Kunstgeschichte des 18. Jahrhunderts zugleich mit diesen Frühklassizisten zu
nennen und zu behandeln, wie es in manchen Werken
auch geschehen ist. Dem gegenüber sei im allgemeinen bemerkt, daß der Klassizismus des 18. und
des beginnenden 19. Jahrhunderts kein einheitliches
Gebilde ist, sondern sowohl durch andersartige Strömungen unterbrochen wird, als auch ein immer neues
Gesicht erhält. Im besonderen sei hier kurz versucht,
den Frühklassizismus um die Mitte des Jahrhunderts
von dem zweiten Klassizismus seines letzten Viertels
zu scheiden und Tischbein in diesem eine feste Stelle
einzuräumen. Von vornherein sei jedoch anerkannt,
daß sich nicht alle Künstler dieser reinlichen Schei-
dung unterwerfen werden, und ferner, daß sich
zwischen beiden naturgemäß verwandten Kunstrich-
tungen zahlreiche Fäden ziehen lassen, wie es ja
gerade Wilhelm Tischbeins Entwicklung gezeigt hat.
Der Unterschied wird besonders klar, wenn wir
die Quellen betrachten, denen der jeweilige Klassizis-

mus sein Dasein verdankt. Der ältere Klassizismus ist ähnlich wie das Rokoko ein Nachlassen des Pathos der Barockzeit. Die Antike ist ihm der Ausdruck des Einfältigen und Stillen, aber mit der Rokokobeimischung des Bukolischen und Graziösen. Besonders die Grazie ist ein Lieblingswort dieser Zeit, sie, von der nach Mengs „selbst die Schönheit nur ein Teil ist",[1]) und der Winckelmann in seiner Geschichte der Kunst des Altertums einen besonderen Abschnitt widmet. Die graziösen, jugendlichen Körper der praxitelischen Zeit zogen Winckelmann vor allem an, sie dienten Mengs zum Vorbild für seinen „Parnaß" in der Villa Albani oder sein „Parisurteil" in der Petersburger Eremitage, sie regten Raphael Donner zu den Frauenfiguren des Brunnens auf dem Neuen Markte zu Wien an.

Dieser Brunnen, der von der Allegorie der Klugheit gekrönt wird,[2]) zeigt zugleich die Neigung dieses Klassizismus zur Allegorie. Von Hagedorn, Winckelmann und vielen anderen empfohlen, in der Absicht, die leeren Formen des ausgehenden Barock erst wieder einmal mit frischem Inhalt zu füllen, finden wir sie auf Ösers Vorhang für das Leipziger Theater oder auf Mengs' Darstellung der Weltgeschichte im Vatikan.

Aus anderen Strömungen zog der Klassizismus des ausgehenden Jahrhunderts seine Nahrung. Seine Liebhaber waren Stürmer und Dränger, und wenn ihnen die Berührung mit der Antike auch eine Bändigung

---

[1]) Mengs l. c. II, S. 53.
[2]) Und nicht der Donau, wie oft zu lesen ist.

Die Stärke des Mannes   Oldenburg, Großherzogl. Schloß

Nach einer Originalaufnahme von Wilh. Oncken in Oldenburg

des aufgeregten Gefühls brachte, so trugen sie doch noch genug ihrer Leidenschaft in sie hinein. Statt des Graziösen suchte man das Heroische, statt des Schlichten das Charakteristische, statt der Hirten suchte man Helden. Darum die Bevorzugung, die man jetzt der römischen Geschichte und dem Homer schenkt, darum die gestenreichen Themen, wie Tischbeins Sophonisbe, die voll Verachtung auf ihren Überwinder blickt. Das Gefühlspathos der Wertherzeit strömte sich in diesen Bildern aus. Statt der jungen, „zärtlichen Körper"[1]) liebte man muskulöse Männer und vollentwickelte, beinahe plumpe Frauen. Von Grazie war nichts mehr zu verspüren.

Und so wie die Verschiedenheit der Quellen eine verschiedene Färbung der beiden Klassizismen zur Folge hatte, so bedingte sie auch eine verschiedene Intensität. Dem älteren Klassizismus war die eben wieder entdeckte Antike eine hohe Göttin, der man sich nur mit zarter Verehrung nahte, eine Göttin, neben der man noch andere Göttinnen anbetete, denn was hätte diese für alles begeisterte Zeit nicht angebetet! Nur ließ man es bei der Anbetung oftmals bewenden, an eine praktische Befolgung ihrer Gebote dachte man selten. Selbst ein Mengs blieb in den meisten Bildern in barocken Banden, und es ist kein Zufall, daß seine Schüler Knoller, Maron und die Brüder Unterberger alles eher denn klassizistische Werke schufen, wie ja auch Ösers Schaffen barocken Charakter trägt.

---

[1]) So bezeichnete Winckelmann Donners Gestalten. Vgl. A. Dürr: A. F. Oeser, Lpzg. 1879, S. 138.

Aber in dieser Abhängigkeit von dem Stile, den man bekämpfte, lag auch ein Vorzug: man gab die Tradition nicht auf. Wenn man neben die Antike Tizian und Coreggio stellte, so tat man es, um der Farbe nicht verlustig zu gehen, denn man liebte sie als ein Geschenk der Grazien.

In allem diesem war der jüngere Klassizismus verschieden. Dem frühen Klassizismus entsprang die Liebe zur antiken Mythologie, wie es Wölfflin einmal von Geßner sagt,[1]) dem Bedürfnis nach einer schönen Religion, die antike Welt war ihm das goldne Zeitalter, das doch auf ewig entschwunden ist; jetzt wollte man diese ferne Welt auf die Erde herabziehen und sich innig mit ihr vertraut machen. Zunächst verstieß man bis auf Raffael — einige setzten dafür Michelangelo — alle Nebengewalten. Dann suchte man sich die Ausdrucksmittel der antiken Kunst so sehr anzueignen, daß man in der Eile nicht daran dachte, Plastik von Malerei zu scheiden, und alle Regeln jener auf diese übertrug. Daß die malerische Technik, daß alle Farbenfreudigkeit dabei verloren ging, war die notwendige Folge.

Und schließlich wollte man die Antike nicht mehr nachahmen, sondern selbst ein antiker Mensch werden. Nicht jeder ging diesen Weg, Wilhelm Tischbein ging ihn. In der Kunstanschauung, die er sich vor und mit Goethe erwarb, glaubte er die Triebfeder der antiken Kunst entdeckt zu haben. Sie beruhte darauf, daß er die Dinge nicht verschwommen, sondern klar

---

[1]) L. c., S. 83.

sah, nicht ihre äußere, sondern ihre innere, bildungs-
gesetzliche Charakteristik suchte, daß ihm Charakte-
ristisches und Schönes in eins zusammenfielen, da
doch das Wesentliche eines Gegenstandes zugleich
seine Schönheit ausmacht. Nun konnte er das Gebiet
der antiken Themen verlassen und die ganze Schöpfung
zu seinem Modelle wählen; hatte er erst den Schlüssel
gefunden, so drängte es ihn, jedes Tor damit aufzu-
schließen.

Dieses klassische Kunstgesetz hat noch heut seine
Gültigkeit. Wenn Tischbein, trotzdem er es strikt be-
folgte, nicht bessere Werke schuf, so liegt das daran,
daß alle Kunstgesetze gering sind vor der schöpfe-
rischen Kraft einer starken Persönlichkeit. Die aber
fehlte ihm. Er war vernünftig und klug, und so brachte
er viel Tüchtiges, niemals Geniales hervor. An ihm
bewies sich, daß zwar die Kunst der Gesetze nicht
entraten kann, daß aber die Gesetze den tiefen Brunnen
der Kunst nicht auszuschöpfen vermögen, sondern nur
bis zu einem dunklen Grunde dringen können, darin
sich das Unmeßbare, das Geheimnisvolle birgt.

Katalog.

A. Gemälde- und Porträtzeichnungen.

I. Abschnitt 1766—1782.

Lehrjahre und Schweizer Aufenthalt.

a) Hamburg 1766—71.

1. Schäfer mit Ziegen, in einer Gewitterlandschaft. Um 1766.
2. Männerbildnis.
3. Bildnis des Kaufmanns Diemers.
4. Bildnis der Braut des Vorigen.

b) Bremen 1771—72.

5. Bildnis der Frau Ratsherr Pundsack.
6. Bildnis des Senators Duntze. Zeichnung. Bes.: Kunsthalle Bremen.
7. Frauenbildnis.
8. Bildnis des Herrn Joh. Harmes.
9. Bildnis des Hauptmanns Wilmans (?). Profilkopf nach rechts. Federzeichnung. Bes.: Familie Strack, Grunewald bei Berlin.

c) Holländische Reise 1772—73.

10. Miniaturbildnis eines Kaufmanns aus Edinbourgh.

d) Hannover 1774—75.

11. Bildnis des Dichters J. G. Jakobi (?). Unter einer Eiche sitzend; ganze Figur, zum Beschauer blickend. Bes.: Familie Strack, Grunewald bei Berlin.

e) Kassel 1775—77.

12. Bildnis der Frau Luise Holzapfel. Brustbild. Körper nach rechts gewandt, Kopf en face. Perücke mit Häubchen. Grünseidenes Kleid mit weißem Shawl und Bukett vor der Brust. Lwd. H. 0,62. B. 0,50. Bes.: Museum, Gotha.
13. Selbstbildnis des Künstlers. Brustbild, Kopf nach' rechts gewandt. Roter Rock mit blauem Futter und goldener Borte. Graue Perücke. Lwd. H. 0,425. B. 0,365. Bes.: Kunsthalle Hamburg.
14. Bildnis des Prinzen von Württemberg.
15. Bildnis der Landgräfin Philippine von Hessen. In mehreren Kopien vorhanden.

f) Berlin 1777—79.

16. Bildnis der Prinzessin Ferdinand von Preußen.
17. Bildnis des Prinzen Ferdinand von Preußen, seiner Gattin und ihren drei Kindern.
18. Bildnis des Ministers Finkenstein. Brustbild. Körper nach rechts gedreht, Kopf fast en face. Ordensband mit Stern. In 13 Kopien vorhanden.
19. Bildnis des Ministers Finkenstein. Ganzbild in Lebensgröße; im Kostüm des Ritters des Johanniterordens.
20. Bildnis der Königin, Elīsabeth von Braunschweig, Gemahlin Friedrichs II. In mehreren Kopien vorhanden.
21. Bildnis der Schauspielerin Doebbelin als Ariadne. Brustbild. Gelöstes Haar, Band um den Kopf; griechisches Gewand, um die Schultern ein Tuch. Vor 1779.

g) Rom 1779—81.

22. Herkules am Scheidewege. Lebensgroße Figuren. Um 1780. Bes.: Magazin des Augusteum, Oldenburg.
23. Kleine italienische Landschaft. Vorn Gebäude und Menschen.

h) Zürich 1781—82.

24. Bildnis Lavaters. Brustbild, Profil nach rechts. Einfacher Rock, weiße Halsbinde, Haarbeutel. Lwd. H. 0,74. B. 0,62. 1781. Bes.: H. Lavater-Wegmann, Zürich.

25. Bildnis Lavaters. Brustbild; Profil nach rechts. Kreidezeichnung. 1781—82. Bes.: Großherzogl. Bibliothek, Oldenburg.

Noch zweimal in ähnlicher Auffassung ebenda vorhanden, ferner einmal im Besitz des Grafen Rantzau, Potsdam.

26. Bildnis Lavaters. Brustbild. L. sitzt, die Hände auf ein Buch gestützt. Sepiazeichnung. 1781—82.

27. Bildnis des Prinzen Constantin von Weimar. 1781.

28. Bildnis des Bürgermeisters Kilchsperger. Brustbild. Körper und Kopf nach rechts gewandt. Blick zum Beschauer. Schwarzer Rock, weiße Perrücke. Grauer Hintergrund, links ein roter Vorhang. Lwd. H. 0,77. B. 0,60. Bes.: Hermann Hirzel-Stadler, Zürich.

29. Bildnis des Stadtschreibers Füßli. 1781.

30. Bildnis Joh. Jak. Bodmers in hohem Alter. Brustbild. Körper und Kopf nach rechts gedreht. Vorgestreckte Hand. H. 2,80. B. 0,60. 1781. Bes.: Künstlergut, Zürich.

31. Bodmer und Lavater. Lavater sitzend, Bodmer im Schlafrock um ihn herumhüpfend. Zeichnung. Bes.: Großherzogl. Bibliothek, Oldenburg.

32. Bildnis der Frau Barbara Schulthess. Brustbild. Kopf auf den rechten Arm gestützt, der wiederum auf einem Stoß von Büchern liegt. Kopfhaube, ausgeschnittenes Kleid. Lwd. H. 0,79. B. 0,59. 1781. Bes.: Familie Geßner-Ernst, Zürich.

33. Bildnis Hirzels.

34. Bildnis des Dichters und Malers Sal. Geßner.

35. Der Stadtschreiber Füßli; im Sarge. Zeichnung. 1782. Bes.: Fideikommißbibliothek des Kaiserl. Hauses zu Wien.

36. Doppelbildnis der Gattin des Ratsherrn Diethelm Lavater und ihrer Tochter. Lwd. H. 0,74. B. 0,62. Bes.: H. Lavater-Wegmann, Zürich.

37. Bildnis der Frau Magdalena Schweitzer. Mit aufwärtsblickenden blauen Augen und übereinandergeschlagenen Händen.

38. Bildnis der Frau Marg. Escher v. Berg, geb. Steiner. H. 1,06. B. 0,74. Bes.: Künstlergut, Zürich.

39. Bildnis der Frau v. Orell.
40. Götz und Weislingen. Lwd. H. 0,76. B. 0,60. 1782. Bes.: Goethe-Nationalmuseum, Weimar.
41. Kopf eines Kindes. 1782.
42. Brustbild eines Kriegers. In Helm und Küraß, den Kopf auf die rechte Hand gestützt; nach links blickend. Lwd. H. 0,68. B. 0,54. 1782. Bes.: Gemäldegalerie, Gotha.
43. Doppelbildnis des Künstlers (stehend) und seines Bruders Jakob (sitzend). Unter Lebensgröße. An der Wand des Ateliers hängen viele Porträts. 1782.
44. Diogenes mit der Laterne.

II. Abschnitt 1783—1799.

Italienischer Aufenthalt.

a) Rom 1783—87.

45. Römische Abendlandschaft bei Frascati. Vorn rechts und links je ein Hirt. Lwd. H. 0,615. B. 0,475. 1783. Bes.: Herzogl. Museum, Gotha.
46. Bildnis des Geheimrats v. Diecke. Brustbild. 1783.
47. Doppelbildnis des Domherrn F. J. L. Meyer und des Kammerrates Frankenberg. Ganze Figuren, Arm in Arm der Statue einer Dea Roma gegenüber. Im Hintergrunde Peterskirche und Engelsburg. 1783.
48. Bildnis Josephs II., Kaisers von Österreich. Lwd. 1784. Bes.: Gemäldesammlunng des Fürsten von Avellino, Neapel (?)
49. Conradin von Schwaben und Friedrich von Österreich vernehmen beim Schachspiel ihr Todesurteil. Lwd. H. 1,70. B. 2,46. 1783—1784. Bes.: Gemäldegalerie, Gotha. In zwei Kopien vorhanden.
50. Sophonisbe, mit Verachtung auf ihren römischen Überwinder blickend. Um 1785.
51. Paris und Hektor, die in das Gemach der Helena treten. Um 1785.
52. Selbstbildnis des Künstlers. Auf einem Esel reitend, Federzeichnung. Bes.: Familie Strack, Grunewald b. Berlin.

53. **Selbstbildnis des Künstlers.** Auf einem Berge, den Stock in der Hand, sitzt er auf einem Steine. Federzeichnung. Bes.: Familie Strack, Grunewald b. Berlin.

54. **Selbstbildnis des Künstlers.** Brustbild. Nach links blickend. Kreidezeichnung. H. 0,52. B. 0,40. Bes.: Goethe-Nationalmuseum, Weimar.

55. **Selbstbildnis des Künstlers.** Ganze Figur; im Profil nach links vor der Staffelei sitzend, den Hut auf dem Kopf. Im Atelier Gipsabgüsse nach Antiken. Holz. H. 0,51. B. 0,36. 1785. Bes.: Museum, Weimar.

56. **Antiker Kopf mit phrygischer Mütze.** Brustbild; Ovalformat. Profil nach rechts. Grünes Gewand mit goldener Borte. Lwd. H. 0,75. B. 0,60. 1786. Bes.: Schloß Arolsen.

57. **Des Mannes Stärke.** Kleines Bild. 1787. In mehreren Kopien vorhanden.

58. **Kopf Goethes.** Ähnlich dem späteren Bilde. Aquarellskizze.

59. **Goethe im weißen Mantel** auf einem Obelisk sitzend. Rohe Tuschskizze. Bes.: Goethe-Nationalmuseum, Weimar.

60. **Bildnis Goethes in der Campagna.** Karton.

61. **Bildnis Goethes in der Campagna.** In weißem Mantel, grauem Schlapphut und gelber Kniehose lagert er sich auf rötlichen Quadern. Im Hintergrunde antike Bauten und die Albanerberge. Lwd. H. 1,64. B. 2,06. 1787. Bes.: Städelsches Kunstinstitut, Frankfurt a. M.

61a) **Bildnis Goethes.** Zum Fenster hinauslehnend, halb angekleidet. Getuschte Federzeichnung. 1787. Bes.: Erben der Frau Veronika Parthey, Berlin.

b) Neapel 1787—99.

62. **Bildnis der Erbprinzessin Marie Therese von Neapel.** 1788.

63. **Bildnis des Kronprinzen Franz von Neapel.** 1788.

64. **Orestes und Iphigenie.** Erkennungsszene. Kniefiguren. Rechts vorn ein Opferaltar, links oben zwei Furien mit flatternden Gewändern. H. 1,55. B. 1,20. 1788. Bes.: Schloß Arolsen.

Odysseus nimmt von Nausikaa   Oldenburg   □
Abschied (1819)   ⊐   Großherzogl. Schloß

Nach einer Originalaufnahme von Wilh. Oncken in Oldenburg

65. **Bildnis der Lady Hamilton.** In weißem Gewande, einen hellblauen Shawl um die braunen Locken. Bes.: Wittumshaus, Weimar. Um 1788.

66. **Bildnis der Lady Hamilton.** Lwd. H. 0,40. B. 0,335. Bes.: Gutsbesitzer Völckers, Godderstorf b. Neukirchen.

67. **Ausreitende Amazonen.**
   a) Lwd. H. 0,575. B. 0,805. 1788. Bes.: Augusteum, Oldenburg.
   b) Gleichgroße Aquarellzeichnung 1801 (?) Bes.: Ernst Graf zu Rantzau, Potsdam.

68. **Hektor und Andromache.** 1788.

69. **Achill** in ganzer Figur.

70. **Bildnis des Pascha von Cairo.** Zeichnung. Um 1788.

71. **Zwei antike Köpfe.** Bes.: Universitätsmuseum, Göttingen.

72. **Bildnis von Heinr. Meyer** (Kunstmeyer). Zeichnung. Um 1788.

73. **Bildnis Herders.** Zeichnung. 1789.

74. **Bildnis der Herzogin Anna Amalia von Weimar.** Fast lebensgroßer Kopf. Kreidezeichnung. H. 0,47. B. 0,33. Bes.: Schwäbischer Schillerverein, Marbach.

75. **Bildnis der Herzogin Anna Amalia von Weimar.** Ganze Figur. Auf einer antiken Bank im Profil nach links sitzend. In der rechten Hand einen Stab, in der linken den Hut haltend. Holz. H. 0,72. B. 0,54. 1789. Bes.: Weimar, Goethe-Nationalmuseum.

76. **Bildnis des Mylord Bristol.**

77. **Bildnis des Prinzen von Schwarzenberg.**

78. **Bildnis des Fürsten Aremberg.**

79. **Bildnis der Frau Skawronsky.**

80. **Bildnis der Charlotte Campbell.** Im Walde sitzend, eine Notenrolle auf dem Schoße, lockt sie mit einem Zweige einen Hirsch.

81. **Bildnis des Neapolitaners Nicolo Sale.** Zeichnung.

82. **Masinissa, der Sophonisbe gefangen nimmt.** Mas. ist von Soldaten, Soph. von Frauen umgeben. 1789.

83. Antiker Männerkopf mit Helm. Brustbild; Ovalformat. Profil nach links. Lilafarbnes Gewand. Lwd. H. 0,75. B. 0,60. 1790. Bes.: Schloß Arolsen.
84. Jagdgesellschaft des Königs Ferdinand von Neapel, zu Pferde. 1792.
85. Hektor hält Paris seine Weichlichkeit vor. Im ganzen neun Figuren.

c) Rom und Neapel 1783—99.

86. Selbstbildnis des Künstlers. Aus jüngeren Jahren. H. 0,45. B. 0,38. Bes.: Fräulein Specht, Niederlößnik.
87. Brustbild eines Knaben. Lächelnd, nach links blickend. Grauer Hut mit Bändern, brauner Wams. Lwd. H. 0,286. B. 0,240. Bes.: Museum, Weimar.
88. Bildnis der Dichterin Friederike Brun. Profilkopf. Kreidezeichnung. Bes.: Großherzogl. Privatbibliothek, Oldenburg.
89. Bildnis Canova's. Brustbild. Kreideskizze. Vor 1800. Bes.: Großherzogl. Privatbibliothek, Oldenburg.
90. Römische Auguren stellen das Horoskop an den Eingeweiden eines Tieres. Lwd. H. 0,94. B. 0,70.
91. Vater und Sohn, bedrängt zwischen einem glühenden Lavastrom und dem tobenden Meere. Holz. H. 0,32. B. 0,43. Nach 1794.

III. Abschnitt 1799—1829.
Reise nach Deutschland, Aufenthalt in Hamburg und Eutin.

a) Kassel 1799.

92. Mutterschafe mit ihren Jungen. Holz.

b) Hannover 1799—1801.

93. Selbstbildnis des Künstlers. Brustbild. Körper nach rechts gewandt, Kopf geradeaus. Die linke Hand stützt sich auf eine Zeichenmappe. Brauner Rock mit braunroten Aufschlägen. H. 0,62. B. 0,475. Bes.: Provinzialmuseum, Hannover.

94. **Bildnis der Frau Schmidtjahn.** Um 1800. Bes.: Frau Oberlandmesser Becker, Hildesheim.

c) Göttingen 1800—01.

95. **Bildnis des Professors Heyne in Göttingen.** Brustbild, nach rechts gewandt. Hellgrauer Rock, weiße Halsbinde. Heyne hält mit beiden Händen einen Brief, in dem er liest. Lwd. H. 0,51. B. 0,415. 1800. Bes.: Gymnasium, Eutin.
96. **Bildnis des Naturforschers Blumenbach.** Brustbild. Profil nach links. Weiße Halsbinde und Perücke.

d) Hamburg 1801—08.

97. **Bildnis des Giuseppe Dorfmeister.** Brustbild. Auf Kupfer gemalt. H. 0,425. B. 0,35. 1801. Bes.: Albert Götz, Koblenz.
98. **Bildnis des Herzogs Peter von Oldenburg.** Brustbild. Körper nach rechts, Kopf zum Beschauer gewandt. Blaue Hofuniform mit goldenen Knöpfen und roten Aufschlägen. Gelbe Weste. Natürliches weißes Haar. Lwd. H. 0,52. B. 0,44. 1801 (?). Bes.: Kleines Palais, Oldenburg.
99. **Die Söhne des Herzogs Peter als Knaben.** Der ältere, August, in Schuhen, langen weißen Hosen und Rock; der jüngere, Georg, barfuß, im Hemd. Landschaft mit Gewitterhimmel. Lwd. H. 1,28. B. 0,85. 1801. Bes.: Großherzogl. Schloß, Eutin.
100. **Bildnis eines Knaben** (Prinzen?). Pastell. H. 0,25. B. 0,20. 1801 (?). Bes.: Generalmajor Hakewessel, Kassel.
101. **Jugendbildnis des Herzogs Friedrich Christian von Schleswig-Holstein.** Um 1801.
102. **Bildnis des Gelehrten Villers.**
103. **Bildnis Klopstocks.** Brustbild. Dunkelbrauner Rock, braune Weste, weiße Halsbinde, weißes Haar. Kopf nach rechts gewandt.

    a) Lwd. H. ca. 0,45. B. ca. 0,35. 1802. Bes.: Voßhaus, Eutin.

    b) Lwd. H. 0,485. B. 0,39. Bes.: Klopstockhaus, Quedlinburg.
104. **Bildnis Klopstocks.** Bloßer Kopf, nach rechts gewandt. Federzeichnung, farbig getuscht, mit Deckweiß gehöht. Bes.: Großherzogl. Bibliothek, Oldenburg. 1802. Noch ein-

mal als braune Tuschzeichnung ebenda i. Bd. III der Sibyllinischen Bücher; ferner als Federzeichnung bei Frau Oberstleutnant Tischbein, Eutin.

105. **Brutus verurteilt seine Söhne.** Brutus sitzt ernsten
Blickes und hält seinen Söhnen die Liste der Verschworenen
vor. — Lebensgroße Kniefiguren. Um 1802.

106. **Caritas.** Mutter, von freudigen Kindern umschlungen. 1802.

107. **Malerei und Musik.** Zwei junge Mädchen. Die eine
in ganzer Vorderansicht, die andere im Profil, eine Leier in
der Hand. Links ein Genius mit Vorhang im Hintergrund.
Lwd. H. 1,31. B. 0,99. 1804. Bes.: Gemäldegalerie, Wien.

108. **Bildnis des Pastors Zornickel.** Kniestück. Schwarzer Priestertalar mit weißer Halskrause. Die linke Hand in
predigender Haltung, die rechte auf ein Buch stützend. Ein
zweites Buch vorn auf einem Tische. Bes.: St. Petrikirche,
Hamburg. 1804.

109. **Der Mann am Kamin.** Mit großem Schatten an der Wand.
Um 1805.

110. **Der Schornsteinfeger,** von seiner Esse den Aufgang
der Sonne erblickend. Um 1805.

111. **Mutter, ihr Kind laufen lehrend.** Im Hintergrunde
der zusehende Vater. Um 1805. Bes.: Familie Strack, Grunewald b. Berlin.

112. **Bildnis des Herzogs Carl August von Weimar.**
Zeichnung. 1806.

113. **Bildnis einer Frau mit weißer Haube.** H. 0,27.
B. 0,22. 1806. Bes.: Bernt Grönvold, Berlin.

114. **Achill reißt Kassandra vom Altar der Athene.**
Lwd. H. 2,32. B. 1,77. 1806. Bes.: Großherzogl. Schloß,
Oldenburg. Wiederholung (die Kassandra von einem Schüler
Tischbeins gemalt), bei Oberlehrer Harders, Eutin.

115. **Odysseus bei Penelope.**

116. **Ein brennendes Bauernhaus in Billwärder;** auf dem
Giebel ein Storchnest, dessen Bewohner die Flammen zu er-
sticken suchen. Holz. H. 0,485. B. 0,36. Um 1806.

117. **Anakreon, dem Amor Tinte in sein Fäßchen gießt.**
Um 1807.

118. Der erschlagene Krieger, von seinem Weibe betrauert.

119. Fallendes Mädchen mit fliehenden Tauben.

120. Ein Prophet.

121. Junges Mädchen als Unschuld.

122. Innenraum. Eine kartoffelschälende Frau. Durch das Fenster bricht sich die Sonne an einer Medizinflasche und strahlt auf die Kartoffel. Holz. H. 0,315. B. 0,29. Bes.: Kunsthalle, Hamburg.

123. Mädchen mit Puppe. Halbfigur; Kopf leicht nach rechts gewandt, Blick auf die Puppe gerichtet, die es in beiden Händen hält. Bes.: Erben der Frau Krause, Hamburg.

124. Die heilige Familie. In Halbfigur rechts Josef, links Maria, in der Mitte sitzt auf einem Tische das Kind. Lwd. H. 0,92. B. 0,76. Bes.: Kunsthalle, Hamburg.

125. Reineke Fuchs. Hinze, der Kater, trägt im versammelten Rate der Tiere dem König Nobel seine Klage über Reineke Fuchs vor. Große unvollendete Komposition. Holz. H. 0,68. B. 0,92. Bes.: Architekt Schmidt, Schöneberg-Berlin.

126. Bildnis der Frau des Künstlers. Brustbild. H. 0,42. B. 0,38. Bes.: Generalmajor Hakewessel, Kassel.

127. Bildnis des Malers Waagen. Kahlköpfiger, sitzender Mann, den Kopf in die Hand gestützt, in antikem Gewande. Federzeichnung. Bes.: Privatdozent Dr. Pinder, Würzburg.

128. Bildnis des Herrn Professor Dehn als 12jährigen Knaben. Brustbild. Lwd. Bes.: Frau Prediger Maywald, Pankow bei Berlin.

129. Bildnis der Frau Dehn. Brustbild. Lwd. Bes.: Frau Prediger Maywald, Pankow bei Berlin.

130. Bildnis des Lehrers Westphalen. Brustbild. Körper nach rechts, Kopf und Blick zum Beschauer gewandt. Schwarzseidene Jacke, weiße Halsbinde. Bes.: St. Petrikirche, Hamburg.

131. Bildnis der Dichterin Christine Westphalen. Kniestück, ganz im Profil nach rechts. Vor ihrem Schreibpult sitzend, ein offenes Buch in den Händen. Lwd. H. 0,61. B. 0,84. Bes.: Kunsthalle, Hamburg.

e) Eutin 1808—29.

132. **Lasset die Kindlein zu mir kommen.** Rechts sitzt Jesus, auf ein Kind zeigend, das ihm ein Knabe entgegenreicht. Hinter Christus ein abwehrender Apostel. Links hinten viele Mütter mit Kindern. Spitzbogiger Rahmen. 1808. Bes.: Ansgariikirche (Altar), Bremen. Wiederholung (rechteckiges Format, mit mehr Figuren): Magazin des Augusteum, Oldenburg.

133. **Bildnis der Frau Präsident v. Lowtzow.** Brustbild. Weißes Kleid mit lila Umschlagetuch, graue Kopfhaube, Blick zum Beschauer gerichtet. Lwd. H. 0,53. B. 0,445. Um 1810. Bes.: Geheimrat v. Zehender, Eutin.

134. **Selbstbildnis des Künstlers.** Brustbild. Schwarzer Rock, weiße Halsbinde. In der Hand den Zeichenstift. Körper nach links gewandt, Kopf zum Beschauer. Lwd. H. 0,54. B. 0,46. Um 1810. Bes.: Kunsthalle, Hamburg.

135. **Bildnis des Erbprinzen August von Oldenburg.** Brustbild. In Uniform, blaues Ordensband, roter Kragen, weiße Epauletten. Lwd. H. 0,59. B. 0,51. Um 1810. Bes.: Oberlehrer Harders, Eutin.

136. **Brustbild der Schriftstellerin J. Hermes.** Profil nach links. Kreidezeichnung. 1811. Bes.: Frau Oberstleutnant Tischbein, Eutin.

137. **Die Familie Tischbein.** Tischbeins Frau mit fünf jungen Töchtern, die um ein Licht sitzen; die jüngste auf dem Schoß der Mutter. Lwd. H. 1,25. B. 0,99. Um 1812. Bes.: Frau Präsident Ruhstrat, Oldenburg.

138. **Schloßpark von Eutin.** Links der See; rechts unten eine schlafende Schäferin mit ihrer Herde. Lwd. H. 0,87. B. 0,655. 1812. Bes.: Frau Justizrat Propping, Oldenburg.

139. **Hektors Abschied.** Hektor umarmt Andromache. Eine Amme bringt das Kind, das sich ängstlich abwendet. Lwd. H. 2,62. B. 2,10. 1812. Bes.: Großherzogl. Schloß, Oldenburg. Wiederholung: Gräfin Rantzau, Eutin.

140. **Studienkopf eines Mannes** mit braunem Barte. Lwd. H. 0,41. B. 0,345. 1814. Bes.: Augusteum, Oldenburg.

141. **Bildnis des Generals Bennigsen.** Brustbild. Lwd. H. 0,43. B. 0,33. 1814.

142. **Bildnis der Frau General Bennigsen.** Brustbild. Lwd. 1814.

143. **Junger Mann im Harnisch.** Brustbild. Blaues Ordensband, rote Halsrüsche. Kleiner brauner Schnurrbart. (Porträt Mettlercamps?) Lwd. H. 0,53. B. 0,46. Um 1814. Bes.: Kunsthalle, Hamburg.

144. **Baschkyren zu Pferde.** Holz. H. 0,38. B. 0,50. 1814. Bes.: Augusteum, Oldenburg.

145. **Bildnis des Herzogs Peter von Oldenburg.** Brustbild. Dunkelgrüner Rock mit goldenen Knöpfen. Körper leicht nach rechts, Kopf zum Beschauer gewandt. Lwd. H. 0,60. B. 0,52. 1815. Bes.: Großherzogl. Schloß, Eutin.

146. **Bildnis des Herzogs Wellington.** Brustbild, Kopf nach rechts gewandt. Roter Militärrock mit blauer Schärpe und weißer Halsbinde. Elefantenorden. Lwd. H. 0,525 (?). Br. 0,445 (?). 1815. Bes.: Gutsbesitzer Völckers, Godderstorf b. Neukirchen.

147. **Bildnis Blüchers.** Brustbild. In roter Husarenuniform, mit Pelzwerk verbrämt. Schwarzes Halstuch; rötlicher Schnurrbart, weißes Haar, Kopf nach rechts gewandt. Lwd. H. 0,545. B. 0,465. 1815. Bes.: Frau Major Vollers, Eutin.

148. **Kinderbildnis von Tischbeins Tochter Ernestine.** Bes.: Frl. Specht, Godderstorf b. Neukirchen. Um 1815.

149. **Kinderbildnis von Tischbeins Tochter Ernestine.** Bes.: Frl. Specht, Niederlößnitz.

150. **General Bennigsens Einzug in Hamburg** (31. Mai 1814). Bennigsen mit seinem Stabe auf Pferden, Baschkyren, Kosacken, Kalmücken und das Heer. Im Hintergrunde die Stadt. Lwd. H. 3,50. B. 5,38. 1816. Bes.: Magazin der Kunsthalle Hamburg.

151. **Menelaos und Helena.** Menelaos, in rotem Mantel, läßt sein Schwert vor Helena, in weißem Gewande, sinken. Lwd. H. 2,72. B. 2,28. 1816. Bes.: Großherzogl. Schloß, Oldenburg. Wiederholung: Familie Strack, Grunewald b. Berlin.

152. **Bildnis der Erbprinzessin Adelheid.** Brustbild. Körper leicht nach rechts, Kopf zum Beschauer gewandt. Rotes Tuch um die Schultern. Lwd. H. 0,585. B. 0,50. 1817. Bes.: Großherzogl. Schloß, Eutin.

153. **Bildnis der Erbprinzessin Adelheid.** Kniefigur. Auf einem Eichenstumpf sitzend, in weißem Empirekleid. Lwd. H. 1,36. B. 0,90. 1817. Bes.: Großherzogl. Schloß, Oldenburg. Wiederholung: Großherzogl. Schloß, Eutin.

154. **Bildnis des Erbprinzen Paul Friedrich August** von Oldenburg. Kniestück. In einer Landschaft. In voller Uniform, blaues Ordensband, zum Beschauer blickend, den Hut in der Hand. Lwd. H. 1,34. B. 87,5. 1817. Bes.: Großherzogl. Schloß, Eutin.

155. **Bildnis des Erbprinzen Paul Friedrich August** von Oldenburg. Brustbild. Blauer Rock auf braunem Hintergrunde. Körper nach rechts, Kopf zum Beschauer gewandt. Lwd. H. 0,59. B. 0,51. 1817. Bes.: Großherzogl. Schloß, Eutin.

156. **Bildnis des Dichters J. H. Voß.** Brustbild. Profilkopt nach rechts gewandt. Kahle Stirn, Locken am Hinterkopf. Weiße Halsbinde, gestreifte Weste, blauer Rock. Lwd. H. 0,40 (?). B. 0,32 (?). 1817. Bes.: Hanns v. Müller, Wilmersdorf b. Berlin.

157. **Odysseus und Nausikaa.** Odysseus, in rotem Gewande, nimmt Abschied von Nausikaa, die in ockergelbem Gewande an einem Pfeiler lehnt. Lwd. H. 2,32. B. 1,77. 1819. Bes.: Großherzogl. Schloß, Oldenburg. Wiederholung von Schülerhand: Generalmajor Hakewessel, Kassel.

158. Fällt aus.

159. Die Idylle. 1819—20. Bes.: Augusteum, Oldenburg.
    1. Satyrfamilie. H. 0,33. B. 0,31.
    2. Felsenhöhle. H. 0,33. B. 0,27.
    3. Adler. H. 0,33. B. 0,33.
    4. Götter dem Gesange Apollos lauschend. H. 0,33. B. 0,42.
    5. Alter Eichenstamm. H. 0,33. B. 0,27.
    6. Satyr lehrt das Kind Syrinx blasen. H. 0,33. B. 0,31.

7. Vulkan und Venus. H. 0,33. B. 0,27.
8. Schwebende Figur. H. 0,33. B. 0,27.
9. Schwebende Psyche. H. 0,33. B. 0,27.
10. Herniederschwebende Figur. H. 0,33. B. 0,27.
11. Nebelnymphen. H. 0,33. B. 0,27.
12. Aurora. H. 0,33. B. 0,27.
13. Mars und Venus. H. 0,33. B. 0,27.
14. Sonnenscheiben mit Mädchenköpfen. H. 0,33. B. 0,27.
15. Schwebende Figur. H. 0,33. B. 0,27.
16. Schwebende Figuren. H. 0,33. B. 0,27.
17. Die drei Grazien. H. 0,33. B. 0,27.
18. Nebelnymphen. H. 0,33. B. 0,27.
19. Nymphe. H. 0,33. B. 0,27.
20. Mädchenköpfe an rötlichem Himmel. H. 0,33. B. 0,27.
21. Schäfer und Schäferinnen. H. 0,33. B. 0,27.
22. Weidennymphe. H. 0,33. B. 0,27.
    Noch einmal bei Fr. Pastor Harders, Preetz b. Kiel.
23. Göttin der Obstbäume. H. 0,33. B. 0,27.
24. Göttin des Tanzes. H. 0,33. B. 0,27.
25. Aufsteigende Nebelnymphe. H. 0,33. B. 0,27.
26. Schwebende Frau mit einem schlafenden Kinde. H. 0,33. B. 0,27.
27. Schäferfamilie. H. 0,33. B. 0,27.
28. Fruchtbäume an einem Getreidefelde. H. 0,33. B. 0,27.
29. Quellennymphen. H. 0,33. B. 0,27.
30. Schäfer und Schäferin. H. 0,33. B. 0,27.
31. Weibliche Gestalt zwischen einem Reh und einem Eber schwebend. H. 0,33. B. 0,27.
32. Landschaft mit Pappeln. H. 0,33. B. 0,27.
33. Apfelbaum. H. 0,33. B. 0,27.
34. Baumstamm von Kürbissen umrankt. H. 0,33. B. 0,27.
35. Schäfer im Gespräch. H. 0,33. B. 0,33.
36. Schafe. H. 0,33. B. 0,325.
37. Schwäne. H. 0,33. B. 0,31.
    Noch einmal bei Frau Präsident Ruhstrat, Oldenburg.
38. Löwin mit Jungen. H. 0,33. B. 0,31.
39. Schafe und Ziegen. H. 0,33. B. 0,325.

40. Schafe und Lämmer. H. 0,33. B. 0,33.

41. Wiesenblumennymphe. H. 0,33. B. 0,27.

42. Satyre und Nymphen beim Tanze. H. 0,34. B. 0,435.

43. Bacchanten im wilden Tanze. H. 0,34. B. 0,435.

Nr. 1—43 sind auf Holz gemalt.

44. Italienische Landschaft mit Nymphen, Satyren usw. Lwd. H. 1,000. B. 1,275.

45. Italienische Landschaft bei Tivoli. Wasserfall. Vorn eine Eiche und ein Fluß. Lwd. H. 1,000. B. 1,275. Bes. unbekannt.

160. Bildnis von Fräulein Luise Heumann. Brustbild. In weißem Gewand. Rötlichbraune Locken; Kopf nach links gewandt. Lwd. Um 1820. Bes.: Frau Jäckel, Eutin.

161. Eine Mutter führt ihre Söhne zu einem Weisen, der ihnen die Welt in Gestalt einer Kugel erklärt. Supraporta im Sepiaton. Lwd. H. 0,71. B. 1,30. Um 1820. Bes.: Großherzogl. Schloß, Oldenburg.

162. Mutter, ihr Kind laufen lehrend. Der Vater sieht lächelnd zu. Supraporta im Sepiaton. Lwd. H. 0,71. B. 1,30. Um 1820. Bes.: Großherzogl. Schloß, Oldenburg.

163. Greis und Enkel aus einer Schale essend, die eine Frau reicht. Unten Hund und Katze. Supraporta im Sepiaton. Lwd. H. 0,71. B. 1,30. Um 1820.

164. Orpheus weckt durch die Töne seiner Lyra die Begeisterung. Männer und eine Löwin lauschen. Supraporta im Sepiaton. Lwd. H. 0,71. B. 1,30. Um 1820. Bes.: Großherzogl. Schloß, Oldenburg.

165. Bildnis des Herrn Ferdinand v. Zehender als Knabe. Kopf mit braunen Locken. Weißer Kragen. Holz. H. 0,315. B. 0,255. Um 1820. Bes.: Geheimrat v. Zehender, Eutin.

166. Bildnis des Herzogs Peter von Oldenburg, in hohem Alter. Brustbild. Blaue Hofuniform mit roten Aufschlägen. Weiße Halsbinde und Perücke. Körper und Kopf nach rechts gewandt. Lwd. H. 0,72. B. 0,62. Bes.: Großherzogl. Schloß, Oldenburg.

167. **Bildnis des Herzogs Peter.** Brustbild. Körper nach rechts, Kopf zum Beschauer gewandt. Blauer Militärrock mit roten Aufschlägen, gelbe Weste, blaue Ordensschärpe. Lwd. H. 0,585. B. 0,49. Bes.: Geheimrat v. Zehender, Eutin.

168. **Lockiger Knabenkopf.** Kopf und Augen nach links gewandt. Weißer Rockkragen. Holz. H. 0,31. B. 0,25. Um 1820. Bes.: Frau Oberstleutnant Tischbein, Eutin.

169. **Bildnis von Tischbeins Tochter Conradine.** Kinderkopf. Holz. H. 0,375. B. 0,295. Um 1820. Bes.: Kleines Palais, Oldenburg.

170. **Bildnis von Tischbeins Tochter Conradine, als Kind.** Der Blick nach oben gerichtet. Bleistiftzeichnung. H. 0,24. B. 0,20. Bes.: Generalsuperintendent Wallroth, Kiel.

171. **Die Stärke des Mannes.** Ein reitender nackter Mann schleppt einen toten Löwen nach sich; neben ihm reitet ein Jüngling, der einen Adler trägt. Hinterher läuft eine Dogge. Lwd. H. 3,08. B. 4,40. 1821. Bes.: Großherzogl. Schloß, Oldenburg.

172. **Bildnis von Tischbeins Tochter Angelika.** In einem Blumengarten stehend, in rotem Empirekleid und schwarzer Jacke, liest sie in einem Briefe. Hinten Kornfeld, Bäume, Berge. Lwd. H. 1,91. B. 1,22. 1822. Bes.: Kunsthalle, Hamburg.

173. **Hermann und Thusnelda.** Hermann, das Schwert in der Rechten, schützt mit dem Schild in der Linken sein Weib, seine zwei Kinder, sowie einen Greis. H. 2,72. B. 1,96. 1822. Bes.: Großherzogl. Schloß, Oldenburg.

174. **Achill und Penthesilea.** Hinten die Amazonenschlacht. Lwd. H. 2,59. B. 1,94. 1823. Bes.: Großherzogl. Schloß, Oldenburg.

175. **Mädchen mit Vergißmeinnicht in der Hand.** Kniestück. Sitzendes Mädchen in weißem Empirekleide mit gelbem Gürtel. Blondes, hochgebundenes Haar, mit einer Mütze bedeckt. Lwd. H. 0,91. B. 0,70. Um 1825. Bes.: Kunsthalle, Hamburg.

176. **Porträt von Tischbeins jüngster Tochter Susanna.** ca. 17 Jahre alt. Brustbild. Profil nach links. Holz. H. 0,175. B. 0,145. Um 1828. Bes.: Familie Strack, Grunewald b. Berlin.

177. **Landschaft mit Schafen und einer Ziege.** Holz. H. 0,26. B. 0,16. Um 1828. Bes.: Oberstleutnant Tischbein, Glogau.

178. **Bildnis des Komponisten Mendelssohn.** Profilkopf mit lockigem Haar. Kreidezeichnung. Um 1829 (?). Bes.: Großherzogl. Privatbibliothek, Oldenburg.

f) Hamburg und Eutin 1801—29.

179. **Zwei sich küssende Kinderköpfe.** Lwd. H. 0,395. B. 0,495. Bes.: Kunsthalle, Hamburg.

180. **Kinderkopf (Mädchen).** H. 0,40. B. 0,32. Bes.: Generalsuperintendent Wallroth, Kiel.

181. **Kinderkopf.** Bes.: Familie Strack, Grunewald b. Berlin.

182. **Kinderkopf.** Nach rechts blickend. Holz. H. 0,32. B. 0,275. Bes.: Frau Pastor Harders, Preetz b. Kiel.

183. **Kinderkopf.** Nach rechts blickend. Gelben Mantel um die Schulter. Holz. H. 0,315. B. 0,27. Bes.: Frau Pastor Harders, Preetz b. Kiel.

184. **Kinderkopf.** Nach rechts blickend. Holz. H. 0,285. B. 0,255. Bes.: Frau Oberstleutnant Tischbein, Eutin.

185. **Kinderkopf (Mädchen).** Holz. H. 0,34. B. 0,28. Bes.: Oberstleutnant Tischbein, Glogau.

186. **Kinderkopf (Mädchen).** Holz. H. 0,34. B. 0,28. Bes.: Oberstleutnant Tischbein, Glogau.

187. **Mädchenkopf.** Nach rechts gewandt. Blick zum Beschauer. Blauer Hintergrund. Holz. H. 0,305. B. 0,25. Bes.: Oberlehrer Harders, Eutin.

188. **Mädchenkopf.** Nach rechts gewandt, abwärts blickend. Lwd. H. 0,40. B. 0,33. Bes.: Dr. Busse, Eutin.

189. **Kopf eines jungen Mannes.** Braungelockt. Weißes Kleid mit Mantel um die Schulter. Holz. H. 0,37. B. 0,295. Bes.: Kunsthalle, Hamburg.

190. **Brustbild eines jungen Mannes** mit gelber Tunika. Braune Locken. Lwd. H. 0,41. B. 0,34. Bes.: Kunsthalle, Hamburg.

191. **Kopf eines jungen Mannes.** Braune Locken. Weißes Gewand. Lwd. H. 0,41. B. 0,35. Bes.: Kunsthalle, Hamburg.

192. **Knabenkopf.** Braunes Gewand. Lockige Haare. Blick nach oben gerichtet. Holz. H. 0,32. B. 0,27. Bes.: Kunsthalle, Hamburg.

193. **Mutter mit Kind.** Brustbild. Lwd. H. 0,555. B. 0,475. Bes.: Frau Pastor Harders, Preetz b. Kiel.

194. **Mutter mit Kind.** H. 0,58. B. 0,27. Bes.: Familie Strack, Grunewald b. Berlin.

195. **Des Knaben erster Gehversuch.** Vater, Mutter und Kind in einer Landschaft. Holz. H. 0,405. B. 0,39.

196. **Großvater im Kreise seiner Enkel.** Holz. H. 0,34. B. 0,26. Bes.: Generalsuperintendent Wallroth, Kiel.

197. **Frauenkopf mit langem blondem Haar.** Brustbild. Profil nach links. Bes.: Familie Strack, Grunewald b. Berlin.

198. **Frauenkopf.** Brustbild. Rotes Tuch um die Schultern. Profil nach rechts. Bes.: Familie Strack, Grunewald b. Berlin.

199. **Frauenkopf in braunem Tuch.** Bes.: Familie Strack, Grunewald b. Berlin.

200. **Kopf einer jungen Frau.** Braunes Tuch um die Brust. Gescheiteltes braunes Haar. Lwd. H. 0,415. B. 0,36. Bes.: Kunsthalle, Hamburg.

201. **Bildnis einer Frau.** Lwd. H. 0,58. B. 0,50. Bes.: Kunsthalle, Hamburg.

202. **Kopf einer Frau mit gelocktem Haar.** Lwd. H. 0,40. B. 0,34. Bes.: Kunsthalle, Hamburg.

203. **Paris, den Apfel in der Hand haltend.** Sitzend; mit brauner phrygischer Mütze. Lwd. H. 1,35. B. 1,22. Bes.: Großherzogl. Schloß, Oldenburg.

204. **Hektor, Paris und Helena.** Hektor findet Paris untätig und tröstet die darüber trauernde Helena. Lwd. H. 254. B. 1,725.

205. **Uliss im Hades opfernd, dem Ajax erscheint.** Ganze Figuren in Lebensgröße. Lwd. H. 2,30. B. 1,725.

206. **Nymphen am Brunnen.** Holz. H. 0,32. B. 0,27.
207. **Nymphen im Walde mit einem Reh.** Holz. H. 0,32. B. 0,27.
208. **Einsame Waldlandschaft.** Holz. H. 0,32. B. 0,27.
209. **Steile Felsenlandschaft.** Holz. H. 0,32. B. 0,27.
210. **Das Gärtnermädchen und ihr Liebhaber.** Holz. H. 0,23. B. 0,19.
211. **Hesperische Fülle.** Bild nach dem Stiche A. 58.
212. **Alter Mann, am Tisch sitzend.** Ungefähr 0,18 im Quadrat. Bes.: Frl. Specht, Godderstorf b. Neukirchen.
213. **Ritter in Rüstung mit Säugling.** Ungefähr 0,18 im Quadrat. Bes.: Frl. Specht, Godderstorf b. Neukirchen.
214. **Birnenstilleben.** Holz. H. 0,315.₁ B. 0,43. Bes.: Kunsthalle, Hamburg.
215. **Pfirsiche.** Holz. H. 0,325. B. 0,26. Bes.: Kunsthalle, Hamburg.
216. **Apfelstilleben.** Holz. H. 0,330. B. 0,435. Bes.: Kunsthalle, Hamburg.
217. **Apfelstilleben.** Bes.: Familie Strack, Grunewald bei Berlin.
218. **Apfelkorb.** H. 0,35. B. 0,35. Bes.: Generalsuperintendent Wallroth, Kiel.
219. **Feigen.** Holz. H. 0,33. B. 0,27. Bes.: Kunsthalle, Hamburg.
220. **Obststudie.** Bes.: Gutsbesitzer Völckers, Godderstorf bei Neukirchen.
221. **Trauben.** Holz. H. 0,33. B. 0,27. Bes.: Oberstleutnant Tischbein, Glogau.
222. **Melonen.** Holz. H. 0,43. B. 0,38.
223. **Honigwaben.** Holz. H. 0,32. B. 0,43.
224. **Tulpen.** Bes.: Geschwister Strack, Grunewald b. Berlin.
225. **Tulpen.** Holz. H. 0,325. B. 0,260. Bes.: Kunsthalle, Hamburg.
226. **Rosen.** Holz. H. 0,33. B. 0,275. Bes.: Kunsthalle, Hamburg.
227. **Ranken mit Schmetterlingen.** Bes.: Familie Strack, Grunewald b. Berlin.

228. **Kaktus mit Blaumeise.** Bes.: Frl. Specht, Godderstorf bei Neukirchen.

229. **Zwei Blumenstücke.** Bes.: Frl. Specht, Godderstorf bei Neukirchen.

230. **Kornähren und Blumen.** Holz. H. 0,32. B. 0,43.

231. **Ananas, Tulpen, Aurikeln.** Holz. H. 0,43. B. 0,32.

232. **Konchylien.** Holz. H. 0,32. B. 0,43.

233. **Gefüllte Weingläser.** Holz. H. 0,32. B. 0,43.

234. **Kranker Löwe,** von Gänsen ausgezischt. Holz. H. 0,35. B. 0,295.

235. **Singvögel.** Holz. H. 0,43. B. 0,32.

236. **Schmetterlinge.** Holz. H. 0,43. B. 0,32.

237. **Schlafender Schäfer,** auf einer Höhle ruhend, aus der ein Tiger hervorschleicht. Links eine Schafherde. Holz. H. 0,40. B. 0,58. Bes.: Kunsthalle, Hamburg.

238. **Gänse von Füchsen überfallen.** Lwd. H. 0,485. B. 0,372. Bes.: Kunsthalle Hamburg.

239. **Fuchs und Ente.** Holz. H. 0,33. B. 0,29. Bes.: Kunsthalle, Hamburg.

240. **Tierstück allegorischen Inhalts.** H. 0,71. B. 0,120. Bes.: Magazin des Augusteums, Oldenburg.

241. **Tierstück.** Wirkung des Unglücks auf die verschiedenen Gemüter. H. 0,71. B. 1,20. Bes.: Magazin des Augusteums, Oldenburg.

242. **Bildnis der Gräfin Scheel-Plessen.** Brustbild. Körper und Kopf etwas nach rechts gewandt. Ausgeschnittenes Kleid. Perlenschmuck im Haar. Kopfschleier. H. 0,53. B. 0,45. Bes.: Graf zu Rantzau, Potsdam.

243. **Bildnis der Gräfin Scheel-Plessen.** Ganze Gestalt in Lebensgröße. Bes.: Frl. Specht, Godderstorf b. Neukirchen.

244. **Bildnis der Nichte des Künstlers und ihres Verlobten, des Herrn v. Nasimoff.** Die Braut reicht die linke Hand ihrem Verlobten, der, in grauer Uniform, sie mit dem linken Arm umarmt. Lwd. H. 0,84. B. 0,72. Bes.: Kunsthalle, Hamburg.

245. **Bildnis des Carl v. Beaulieu-Marconnay** als Kind. Zeichnung.

IV. Abschnitt.

Fragliche Bilder Tischbeins.

245 a) Bildnis des Prinzen Louis Ferdinand von Preußen. Kleines Brustbild. Kopf und Körper im Profil nach links. Brauner Hintergrund, blaue Uniform mit rotem Aufschlag. Weißes Jabot mit schwarzer Halsbinde. Pastell. 1777/79 (?) Bes.: Hohenzollernmuseum, Berlin.

246. Bildnis eines jungen Mannes. Brustbild. Kopf nach links und etwas herabgeneigt. Weiße Perücke mit grüner Schleife. Braunrote Jacke und Weste mit goldnen Bordüren. H. 0,55. B. 0,445. Um 1800 (?). Bes.: Provinzialmuseum, Hannover.

247. Jugendporträt H. Heines. Brustbild. Mantel mit Fuchspelz. Überfallender Kragen mit locker gebundenem gelbseidenem Tuche. Blaue Augen, hohes Stehhaar. Körper leicht nach rechts, Kopf geradeaus, vornübergeneigt. Lwd. H. ca. 0,54. B. ca. 0,48. 1816 (?). Amerikanischer Privatbesitz.

248. Brustbild einer alten Dame, mit weißer Kapotte, grau-blauem Empirekleid mit weißem Shawl. Pastell auf Pappe. H. 0,325. B. 0,27. Bes.: Kunsthalle, Hamburg.

249. Graf Siegfried findet Genoveva wieder. Genoveva tränkt in einer mit Rosen bewachsenen Höhle ihr nacktes Kindchen. Über ihr eine schwebende Fee mit Blumen und Zauberstab, von drei Flügelkindern begleitet. Bes.: Professor Richard Muther, Breslau.

B. Graphische Arbeiten.[1])

1. Wehklagende Maria. Brustbild mit gefalteten Händen. Kopie nach Guido Reni. Radierung. H. 0,17. B. 0,16 d. Pl.
2. Kleiner Jünglingskopf. Profil nach rechts. Kreisrundes Format, wohl in ein Petschaft radiert. Durchmesser 0,35.

---

[1]) Die übrigen graphischen Arbeiten hat bereits Andresen: „Die deutschen Maler-Radierer des XIX. Jahrhunderts" (Band II, Leipzig 1872) verzeichnet.

3. **Bildnis von Tischbeins Vetter Jost.** Brustbild; Profil nach rechts. Radierung.
4. **Männerkopf mit Pelzmütze.** Altes, bartloses Gesicht, nach links gewandt. Kupferstich. H. 0,193. B. 0,135 d. Pl.
5. **Studienkopf.** Alter schwermütiger Mann (der Hofsporenmacher Löwe). Radierung.
6. **Bildnis Klopstocks.** Bloßer Kopf, nach rechts gewandt. Weißes Haar. Weiße Halsbinde. H. 0,155. B. 0,11 d. Pl. Radierung. 1802.
7. **Das Eselwunder.** Ein Esel läutet an der Klosterglocke, da kommen fünf Mönche aus der Klostertür, ihm zu helfen. Die Mauer des Klosters ist weinumsponnen und trägt das Wort Caritas. Radierung. H. 0,292. B. 0,25 d. Bildes.
8. **Klage um eine tote Frau.** Unter Gebüsch ein totes Weib, das ein Knabe mit Rosen schmückt. Neben ihm ein kniendes Weib, das sein Gesicht in den Händen birgt. Hinten ein Engel, der in eine Posaune stößt. Lithographie. H. 0,18. B. 0,113 d. Bildes.
9. **Die Stärke des Mannes.** Ähnlich dem großen Bilde. Radierung.

C. Porträt-Katalog.[1])

Adelheid, Prinzessin von Oldenburg 152, 153.
Amalia, Herzogin von Weimar 74, 75.
Aremberg, Fürst 73.
August, Prinz von Oldenburg 99, 135, 154, 155.
Beaulieu-Marconnay, Carl v. 245.
Bennigsen, General 141, 150.
Bennigsen, Frau General 142.
Blumenbach, Naturforscher 96.
Blücher 147.
Bodmer, Joh. Jak. 30, 31.
Bristol, Mylord 76.
Brun, Friederike 88.

---

[1]) Die Zahlen hinter den Namen bedeuten die Katalognummern von A.

---

[1]) Wilhelm Tischbein ist ferner porträtiert worden:
a) 1817 gez. v. Rud. Suhrland (im Besitz der Königl. National-
galerie, Berlin).
b) 1824 lithogr. v. W. Unger.
c) Vor 1828 gemalt v. einem seiner Schüler (im Besitz v. Frau
Oberstleutnant Tischbein, Eutin).
d) 1828 gez. v. Milde.
e) Miniaturporträt v. H. Freese (im Besitz der Kunsthalle, Kiel).
f) Nach seinem Tode gezeichnet v. Baron v. Rumohr. Abgeb.
bei Vogel v. Vogelstein. Verzeichnis der bildenden Künstler
und Kunstfreunde, Dresden 1831.
Das bei Graevenitz: Deutsche in Rom, Leipzig 1902, S. 229,
als Wilhelm Tischbein abgeb. Porträt stellt Joh. Heinr. Tischbein
im Stiche von Anton Karcher (1773) dar.

Tischbein, Frau 126, 137.
„ Jakob 43.
„ Angelika 172.
„ Conradine 169, 170.
„ Ernestine 148, 149.
„ Susanna 176.

Villers, Gelehrter 102.
Voß, Joh. Heinr. 156.

Waagen, Maler 127.
Wellington, Herzog 146.
Westphalen, Lehrer 130.
„ Christine, Dichterin 131.
Wilmans, Hauptmann 9.
Württemberg, Prinz v. 14.

Zehender, Ferd. v. 165.
Zornickel, Pastor 108.

D. Orts-Register Tischbeinscher Werke
(inkl. Zeichnungen).

Amerika. Privatbesitz 247.
Arolsen, Schloß 56, 64, 83.
Berlin. Bernt Grönvold 113.
„ Neues Museum, Kupferstichkabinet (6 Zchngn.).
„ Privatbes.: 61 a.
Berlin-Grunewald. Familie Strack 9, 11, 52, 53, 111, 151, 176, 181, 194, 197—199, 217, 224, 227 (Zchng.).
Berlin-Pankow. Frau Prediger Maywald 128, 129.
Berlin-Schöneberg. Architekt Schmidt 125.
Berlin-Wilmersdorf. Hanns v. Müller 156.
Bremen. Ansgarikirche 132.
„ Kunsthalle 6 (5 Zchngn.).
Breslau. Geheimrat R. Förster (1 Zchng.).
„ Franz Landsberger (5 Zchngn.).
„ Prof. Muther 249.

212

Darmstadt. (16 Zchngn.).

Dresden. Kupferstichkabinet (1 Zchng.).

„   Kupferstichsammlung Friedr. Augusts II. (6 Zchngn.).,

Eutin. Dr. Busse 188.

„   Gymnasium 95.

„   Oberlehrer Harders 114, 135, 187.

„   Frau Jäckel 160.

„   Gräfin Rantzau 139.

„   Schloß 99, 145, 152, 153, 154, 155.

„   Frau Oberstleutnant Tischbein 104, 136, 168, 184 (Zchngn.).

„   Frau Major Vollers 147.

„   Voßhaus 103 a.

„   Geheimrat v. Zehender 133, 165, 167.

Frankfurt a. M. Städelsches Institut 61.

Glogau. Oberstleutnant Tischbein 177, 185, 186, 221.

Godderstorf b. Neukirchen. Gutsbesitzer Völckers 66, 146,
     212, 213, 220.

Godderstorf b. Neukirchen. Fräulein Specht 148, 228,
     229, 243.

Gotha. Museum 12, 42, 45, 49.

Göttingen. Univ.-Museum 71.

Hamburg. Kunsthalle: 13, 122, 124, 131, 134, 143, 150, 172,
     175, 179, 189, 190, 191, 192, 200—202, 214—216,
     219, 225, 226, 237—239, 244, 248 (10 Zchngn.).

„   St. Petrikirche 108, 130.

„   Privatbesitz 123.

Hannover. Museum: 93, 240.

Hildesheim. Frau Oberlandmesser Becker 14.

Karlsruhe. Wilhelm Freiherr Marschall v. Biberstein (Zchngn.).

Kassel. Generalmajor Hakewessel 100, 126, 157 (Zchngn.).

Kiel. Generalsuperintendent Wallroth 170, 180, 196, 218.

Koblenz. Alb. Götz 97.

Marbach. Schwäbischer Schillerverein 74.

Neapel. Sammlung des Fürsten von Avellino 48.

Niederlößnick. Fräulein Specht 86, 149.

Oldenburg. Augusteum: 22, 67, 132, 140, 144, 159, 240, 241.
„   Kleines Palais: 98, 169.
             Großherzogl. Privatbibliothek: 25, 31, 88, 89, 104,
             178 (1042 Zchngn.).
             Frau Justizrat Propping 138.
             Frau Präsident Ruhstrat 137.
             Schloß: 114, 139, 151, 153, 157, 161—164, 166,
             171, 173, 174, 203.

Preetz b. Kiel. Frau Pastor Harders 182, 183, 193 (Zchngn.).

Potsdam. Ernst Graf zu Rantzau 25, 67 b, 242 (Zahlreiche
    Zchngn.).

Quedlinburg. Klopstockhaus 103 b.

Weimar. Goethe-Nationalmuseum: 40, 54, 59, 75 (126 Bl.
    Zchngn.).
„   Museum: 55, 87 (Zchngn.).
„   Wittumshaus 65.

Wien. Gemäldegalerie 107.
„   Fideikommißbibliothek 35.

Würzburg. Dr. Pinder 127 (Zchngn.).

Zürich. Familie Geßner-Ernst 32.
„   Hermann Hirzel-Stadler 28.
„   Künstlergut 30, 38.
„   H. Lavater-Wegmann 24, 36.

E. Stiche nach Tischbeins Werken.

1. Kat. Nr. 18. Portr. d. Reichsgrafen v. Finkenstein, gest. v.
   D. Berger 1787 f. d. 10. Bd. d. Berl. Wochenschr.

2. Kat. Nr. 21. Portr. d. Schauspielerin Doebbelin, gest. v.
   D. Berger 1779.

3. Kat. Nr. 32. Portr. d. Barbara Schultheß, gest. v. Leemann
   f. d. Neujahrsbl. d. Zür. Stadtbibl.

4. Kat. Nr. 30. Portr. Bodmers, gest. v. W. Stumpf 1783.

5. Kat. Nr. 40. Götz u. Weislingen,
     a) gest. v. Conr. Westermayr.
     b) Aquatinta v. Conr. Susemihl.

6. Kat. Nr. 49. Konradin von Schwaben. Aquatinta v. Stuben-rauch.
7. Kat. Nr. 61. Portr. Goethes. Lithogr. v. F. C. Vogel, bei H. J. Keßler: Gedenkblätter an Goethe, Frankfurt 1846.
8. Kat. Nr. 95. Portr. d. Prof. Heyne,
    a) gest. v. Riepenhausen f. Heerens Biographie, Göttingen 1813.
    b) gest. v. C. F. Riedel (mit gestutzten Ecken).
9. Kat. Nr. 96. Portr. Blumenbachs, gez. v. Riepenhausen, gest. v. Conr. Westermayr.
10. Kat. Nr. 102. Portr. Villers', gest. v. Unger.
11. Kat. Nr. 114. Achill und Kassandra, gest. v. ?.
12. Kat. Nr. 211. Hesperische Fülle, gest. v. J. A. Darnstedt.
13. Die sieben homerischen Helden des Homerwerkes. Lithogr. v. G. Hardorff.
14. Philoktet (Zchng. i. d. Bibliothek d. philol. Seminars Gießen), gest. v. C. A. Schwerdtgeburth.
15. Fuchs, der eine Gans überfällt (Zchng.), gest. v. F. L. v. Motz.
16. Der sterbende Esel, von seinem Besitzer beklagt (Radierung A. 133), gest. v. Herm. Nielsen.
17. Das Varusfeld (Zchng.), gest. v. F. A. O. de la Belle 1816.
18. Kat. Nr. 131. Portr. d. Christine Westphalen, Aquatinta v. Joh. Friedr. Faber.
19. Auszug der Amazonen (Aquarell), gest. v. G. Hardorff.
20. Kat. Nr. 134. Selbstbildnis, lithogr. v. Unger.
21. Kat. Nr. 156. Portr. J. H. Voß',
    a) lithogr. v. W. Unger 1826.
    b) lithogr. v. L. v. Motz.

Register.

Goos, C. A. 180.
Götz v. Berlichingen 41, 45 f.
Graevenitz 5 (114, 211).
Graff, Anton 34, 36 f.
Grandjean 26.
Grisebach (153).
Gröger 168.

Hackert, Georg 97, 108, 135.
Hackert, Philipp 103, 108, 111, 117, 122, 135.
Hagedorn 184.
Halem 157.
Hamilton, Lady (93), 112 ff., 125.
Hamilton, Lord 112 f., 120, 128 bis 131.
d'Hancarville 128 f.
Hardorff, Gerdt. 137, 139, 180.
Harnack, Otto 5, 56, 104.
Harzen 3.
Haward 114.
Hegner, U. (33).
Heigelin 85, 135.
Heine, Heinr. 168—171.
Heine, Salomon 171.
Heinse (30), 36 (38), 50 ff., 102.
Hemsen, W. 95.
Hendel-Schütz, Frau 125.
Hensel, Wilh. 168.
Herder 102, 152.
Heß, David 43 f.
Hetsch 65.
Hettner (102).
Heyne, Archäologe 2, 132 ff., 136, 150.
Heyse, Paul 94.
Hirt, Alois 66.

Holbein d. j. 26.
Holzapfel, Luise 18 f., 38.
Homer 17, 23, 120, 132 ff., 135, 185.
Hoppner, John 116, 141.
Hummel, Luigi 121, 132—135.

Italinsky 129 f.

Jaffé (87), 103.
Jahn, O. (131).
Jakobi, Friedr. 157.
Jakobi, J. G. 18.
Josef II. v. Österreich 58.

Kalb, Charl. v. 96, 152.
Karl August v. Weimar 32, 42, 44, 46 (72), 152.
Karpeles, G. 169 f.
Katharina, Gemahlin des Prinzen Georg v. Oldenburg 159.
Katharina II. v. Rußland 99.
Katzenstein, L. 7.
Kauffmann, Angelika (39), 58, 86, 116.
Kauffmann, Hermann 8 (137, 169).
Kaulbach, Wilh. 126.
Kilchsperger 34.
Kirchner, Friedr. 173 f.
Kitting, Fräulein 137.
Klenze, Camillo v. 5, 54.
Klopstock 39, 140, 148.
Knackfuß 8, 54 (61).
Kniep 98.
Knoller, Martin 51, 185.
Kobell, Franz 26.
Kobell, Wilh. 168.

218

Koch, Jos. Anton 103.
Koch, Max (43).
König, Rob. (71).
Könnecke (23, 33, 84, 122, 158).
Konradin v. Schwaben 55, 59 ff.
Konstantin, Prinz v. Weimar 35, 44.
Krüger, Franz 168.

Lapenga, Fr. A. 126.
Laube, Heinr. (30, 36, 38).
Lavater 24, 31—36, 38, 42 ff. 45, 47, 51, 60, 76, 83 (89), 106 f., 121, 140.
Leemann (34).
Leicester, Earl of 130.
Lichtenberg, v. (87).
Lichtwark, A. 8 (137), 141 (148, 169).
Lips 31, 43, 56.
Lucan, Margaret 86.
Ludwig I. v. Bayern (131), 156.
Luise v. Weimar (96).
Lusieri, Tito 120.
Luther 65.

Maltzahn 157.
Mantegna 53 f.
Maria Paulowna v. Weimar 96.
Maria Therese, Tochter Ferdinands IV. v. Neapel 111.
Maron 185.
Masaccio 53 f., 56.
Matthisson 1, 122.
Mechau 26.
Menelaos, Bildhauer 114.
Mengs 24 f., 27 (53), 61, 65, 84, 92 f., 118 f., 183 ff.

Merck, J. H. 5, 24, 28 f., 41 (43), 75 f., 84, 106.
Meusel (29, 111).
Meyer, F. J. L. 1, 58, 70, 88, 122 (141, 179).
Meyer, Heinr. 2, 27, 54, 56, 58, 62, 66, 84, 101, 142, 144, 173.
Michel, Edmond 7 (23, 151).
Michelangelo 14, 26, 123, 134, 143, 186.
Millin 134.
Mondo, D. 118.
Morghen, Wilh. 121, 132.
Moritz, Karl Philipp 59, 70.
Morland, George 116.
Morris, Max (50).
Müller, Maler 52, 102—104, 145.
Münster, Graf 136.

Nägele (95).
Nagler 3.
Nicolovius 157.
Noack, Fr. 5 (103).
Nozemann 17.

Osborn (93).
Ossian 162.
Overbeck, Archäologe (109).
Overbeck, Bürgermeister 144.
Overbeck, Friedr. 144.
Öser 24, 184 f.

Perthes, Verleger 162.
Perugino 53 f.
Peter, Herzog v. Oldenburg 105, 155 f., 160, 174, 177 f.
Pfenninger, Diakonus 32.